ANIOŁY
JEDZĄ TRZY RAZY DZIENNIE

Grażyna
Jagielska

ANIOŁY
JEDZĄ TRZY RAZY DZIENNIE

147 dni w psychiatryku

Wydawnictwo Znak
Kraków 2014

Projekt okładki
Paweł Panczakiewicz / PANCZAKIEWICZ ART.DESIGN
www.panczakiewicz.pl

Fotografie na okładce:
© Studio MPM / Corbis / FotoChannels
© SebastianMeyer / Corbis / FotoChannels

Opieka redakcyjna
Damian Strączek

Adiustacja
Urszula Horecka

Korekta
Barbara Gąsiorowska
Barbara Wójcik

Łamanie
Irena Jagocha

znak

Książki z dobrej strony: www.znak.com.pl
Społeczny Instytut Wydawniczy Znak, 30-105 Kraków, ul. Kościuszki 37
Dział sprzedaży: tel. (12) 61 99 569, e-mail: czytelnicy@znak.com.pl
Wydanie I, Kraków 2014. Printed in EU

Książkę tę dedykuję
Marcinowi Wołowcowi i Tomkowi Włodarczykowi
oraz innym weteranom wojen w Iraku i Afganistanie

Dziękuję terapeutom,
lekarzom oraz pielęgniarkom
z Kliniki Psychiatrii i Stresu Bojowego
w Warszawie

Drogi Czytelniku!

Aby chronić prywatność osób biorących udział w opisanych wydarzeniach, zmieniałam ich imiona i wygląd, a także pominęłam szczegóły ich dotyczące, które pozwoliłyby je zidentyfikować. Saper oraz Ratownik na potrzeby tej opowieści zostali stworzeni z kilku rzeczywistych postaci. Główni bohaterowie wyrazili zgodę na opublikowanie tego tekstu, za co jestem im głęboko wdzięczna.

Nie zdążyłam uzyskać zgody jednego z pacjentów, który zmarł w czasie gdy książka powstawała. Nadałam mu imię Marek i przypisałam życiorys zasłyszany od innego żołnierza. W tekście przytaczam rozmowy, jakie odbyłam z nim na oddziale, starając się oddać jego osobowość oraz to, ile znaczył dla mnie i dla weteranów.

Zamknięci

Szeregowy Mazur czekał na uzdrowienie przed drzwiami izby przyjęć numer trzy, był umówiony na jedenastą. Ja przyszłam po to samo, ale nie wiedziałam, że jest kolejka. Było widać od razu, że wejdzie przede mną. Nadal trzymał w rękach to, co przywiózł z wojny, jakby przyjechał prosto z Afganistanu. Ja przyszłam z miasta. Zaraz za mną do poczekalni weszła Julia. Kiedy wyczuł naszą obecność, trochę odwrócił głowę, tylko na tyle, by zobaczyć, kto stoi obok. Nie chciał albo nie mógł spuścić z oczu tego, co miał w rękach.

– Co ja tu mam? – Zrobił krok w stronę Julii i pokazał jej swoje złożone dłonie. Może oczekiwał, że przejmie przygniatający go ciężar albo chociaż potwierdzi, że on rzeczywiście go ma. Wyglądał, jakby nawet tego nie był pewny.

– Psze pani, kurwa, co ja tu mam!? Znowu go mam, tak?

Nie potrafiłam odpowiedzieć na to pytanie, a Julia patrzyła w drugą stronę, od chwili gdy weszłyśmy, toczyła jakąś inną rozmowę. Pytanie szeregowego Mazura pozostało bez odpowiedzi, ale to dzięki niemu rozpoznaliśmy się kilka dni później.

Wyszłam na skwer, żeby pospacerować wokół ogródka różanego, popatrzeć na odblask rzeki. Zdawało się, że nie wywiera ona żadnego wpływu na innych pacjentów, jakby jej w ogóle nie zauważali, a dla mnie była czymś równie rzeczywistym jak budynek kliniki, pralnia i skwer z różami. Kiedy patrzyłam w tamtą stronę, wydawało mi się, że widzę drogę do wyjścia, i nie doskwierało mi uczucie zamknięcia. Rzeka dobrze mi robiła, taka wartka, niepohamowanie ruchliwa. Julii lepiej robiły tory kolejowe, twierdziła, że biegną za budynkiem pralni, ale ja ich nigdy nie znalazłam.

Na skwerku róże przetrwały wszystkie nawałnice, które nadchodziły od strony rzeki, krzewy były dobrze osłonięte. Sanitariusz kochał wszystko, co rosło na skwerze, i dobrze o to dbał. Tamtego dnia za różanym klombem stał szeregowy Mazur i wpatrywał się w swoje złożone dłonie. Kiedy wyczuł moją obecność, wolno odwrócił głowę, a potem podszedł, żeby mi pokazać, co w nich ma.

– Co tu mam? – zapytał. – Znowu go mam, skurczybyka. Jest prawie wszystko, co z niego wyleciało. – Niespodziewanie wzruszył ramionami. – Dalej z tym nie idę...

Usiedliśmy na betonowych ławkach wokół paleniska z grillem, ja również nie zamierzałam iść dalej.

– Mówili, że w izbie przyjęć zabierają wszystko, z czym się przyjdzie – powiedział Szeregowy. – Jestem na miejscu?

Ja też sądziłam, że można od razu pozbyć się wszystkiego, to taka nagroda dla tych, którzy dotarli do źle oznakowanego budynku ze skwerem, w głębi topolowego zagajnika. Ale tak nie jest. Wiele oddaje się w pokoju pomalowanym na niebiesko kobiecie siedzącej za biurkiem w ciepłe wrześniowe popołudnie. I choć potem zostaje tylko grzebień i szczoteczka do zębów, nie odczuwa się spodziewanej ulgi, jakby zmiana była niewielka.

– Wciąż to, kurwa, mam? Mam, tak? – Szeregowy wpatrywał się w to, co mu zostawiono. – Dowódca woła: zabrać rannego! A ja już jestem na miejscu, oporządzam skurczybyka. Poszarpany tak, że z niego wylatuje. Mam wszystko, dzisiaj może trochę mniej. Ale teraz już chcę to oddać. Gdzie mogę to zrobić?

Pamiętałam tylko, że pokój był duży i pełen światła. Stały w nim biurko i dwa krzesła, jakby to światło miało stanowić jego właściwe umeblowanie. Trochę przypominał poczekalnię, a trochę miejsce w grze komputerowej, gdzie trzeba oddać jak najwięcej, żeby pójść dalej. Wyłożyłam zawartość torby na blat biurka, przedmioty cenne i zupełnie nieistotne drobiazgi, które nie wiadomo dlaczego ze sobą przyniosłam. Siostra przyjmująca powiedziała, że to nic nie szkodzi, przyplątuje się wiele takich rzeczy; zamkniemy je w depozycie. Przedmioty metalowe, szklane, ostre i te w twardych okładkach.

– Nie zabrali mi tego. Myśli pani, że zabiorą mi później? – Wstał i lekko pochylony ruszył w stronę drzwi tarasowych przyczajonym, pośpiesznym krokiem człowieka, który potrzebuje natychmiastowej pomocy.

Kiedy zniknął, poszłam w stronę furtki. Chciałam się jeszcze pokręcić po skwerku, Julia często mówiła, że należy to robić. Siostra dyżurna obserwuje spacerowiczów z tarasu, sprawdzając ile czasu spędzamy na świeżym powietrzu. Spacery są uznawane za przejaw zdrowienia i skracają pobyt na oddziale zamkniętym. Tu Julia milkła albo mówiła dalej, ale chyba o czymś innym, bo nagle przestawałam ją rozumieć. „Liczy się również ruchliwość podczas trasy spacerowej", podejmowała po chwili, jakby nic się między nami nie wydarzyło. „Częste zmiany kierunku i ogólna żywotność, a także chęć nawiązywania kontaktów". „Nikt nie wie, ile trzeba spacerować, żeby zbliżyć się do bezpiecznego poziomu zdrowia psychicznego", dodawała, „robimy to więc jak najczęściej i wyprowadzamy na zewnątrz tych, którzy nie chcą spacerować".

Zboczyłam z głównej trasy spacerowej i podeszłam do furtki. Była gęsto obrośnięta dzikim winem, pod które sanitariusz podrzucał tajemniczy składnik powodujący szybki wzrost roślin. Wino rozrosło się od początku lata i właściwie trudno już było wyodrębnić furtkę z gęstwiny pnączy obrastających płot. Był niski i nie stanowił poważnej przeszkody dla nikogo, kto chciałby opuścić klinikę, toteż ratownik wojskowy przeskoczył go bez trudu podczas porannego spaceru. Biegnąc alejką w stronę głównej bramy szpitala, wpadł pod samochód swojego dowódcy, który tego dnia przyjechał do niego w odwiedziny.

Ucieczka z kliniki nie była możliwa, choćby dlatego że wstępowaliśmy do niej dobrowolnie i w każdej chwili mogliśmy ją opuścić na własne życzenie. Mieliśmy również własne awaryjne drogi wyjścia, które pozwalały nam zostać na miejscu. Ja miałam rzekę, Julia tory kolejowe, a ratownik wojskowy furtkę ogrodową. Może więc jest tak, że czasem bardziej potrzebujemy drogi ucieczki z dobrowolnego zamknięcia niż z miejsc narzuconych nam siłą.

Julię zgubiłam któregoś dnia w psychotropowej mgle, która spowijała mnie miękko, w kolorze ścian. Patrzyłam, jak idzie ku mnie przez oddział ozdrowieńców, wracając z palarni, bujne jasne włosy miała zaczesane na jedno ramię. Potem już jej nie było, przyszedł za to Jezusek, powiedział, że takie zniknięcia są normalne, zgubił w ten sposób mnóstwo osób, to jego siódma hospitalizacja. Nie rozróżniałam jeszcze dni tygodnia i cieszyłam się, kiedy stawał w drzwiach sali kobiecej i mówił, że nie powinnam bać się tego innego upływu czasu, nie boję się, prawda? Obiecywał mi poprawę głosem stałego bywalca znającego wszystkie tajniki psychotropów. On wiedział, kiedy organizm przyzwyczaja się do leków i oszołomienie mija. Robi się wtedy jasno i przejrzyście, jak w górach o poranku, widziałam kiedyś taki poranek?

Staliśmy przy szklanej ścianie dzielącej oddział zamknięty od części terapeutycznej, pachniało cytrynowym płynem do czyszczenia szyb, którym sanitariusz przecierał szklaną taflę. Dzięcioł, pacjent z zanikiem pamięci, stukał w szybę guzikiem od piżamy, słychać było jego szybki podniecony oddech i niemal wyczuwało się jego ekscytację wzbudzoną nie wiadomo czym. Jezusek głaskał mnie po ręce, pocieszająco i z roztarganiem, mówił, że jest poniedziałek czwarty września.

– Znowu ich przywieźli – powiedział. – To chyba niemożliwe. Ale może nie z domu. Tylko żeby nie z domu...

Jezusek bał się dni, kiedy na oddział przyjmowano weteranów. Wolał już, kiedy przywożono żołnierzy prosto z Afganistanu. Nawet jeżeli nie mogli mówić albo powtarzali tylko numer książeczki wojskowej, wydawali mu się łatwiej uleczalni niż ci, którzy przyjechali z domu, z miejsca gdzie powinni już być bezpieczni.

Korytarzem szedł Szeregowy, próbował donieść coś w bezpieczne miejsce. Pielęgniarka prowadziła go ostrożnie, jakby widziała to samo co on. Posuwali się wolno korytarzem w stronę drzwi sali męskiej.

– Wracamy na salę, powolutku. Wszystko zdał pan tydzień temu. Nie ma już po co przychodzić na izbę przyjęć, nic więcej panu nie zabiorę. To już trzeci raz dzisiaj. – Szeregowy Mazur pokonał jeszcze kilka metrów, zagryzając wargę przy każdym kroku, a potem się zatrzymał, jakby zamierzał zawrócić do izby przyjęć. Pielęgniarka była na to przygotowana: objęła go ramieniem, nakłaniając do dalszej drogi. – Jeszcze kawałeczek, idziemy powolutku. Nic się nie wyleje, obiecuję. – Szeregowy przysunął się bokiem do ściany i znieruchomiał. – Woli pan zostać tutaj? – zapytała pielęgniarka. – Postoi pan sobie?

Zostaliśmy z Szeregowym sami.

– Co tam mam? – zapytał. – Wiem, że nic tam nie mam. Niczego nie trzymam w ręku. Niczego nie trzymam w ręku, prawda? – Omiótł wzrokiem korytarz, jakby czegoś szukając. – Mówią, że zabiorą mi to potem, jak przejdę do części terapeutycznej. To gdzie jest część terapeutyczna?

Począwszy od tamtego dnia, Szeregowy trzymał się bliżej Dzięcioła. Od rana stali razem pod szklaną ścianą, Dzięcioł przebijał się do części terapeutycznej, stukając tym, co znalazł pod łóżkiem, w toalecie albo wykradł z dyżurki podczas nieobecności pielęgniarek. Szeregowy przyglądał się temu uważnie i z pewnym napięciem, jakby oceniał szanse takiego planu. Ale to Jezusek przeszedł pierwszy na oddział ozdrowieńców.

Staliśmy pod szklaną ścianą, patrząc, jak odchodzi. Jego odejście budziło jednocześnie nadzieję i poczucie utraty. Był dla nas jedynym dowodem na to, że nie utknęliśmy w naszych szlafrokach na zawsze, że przechodzi się na drugą stronę, w świat ludzi poczytalnych. Nikt nie widział, kiedy przechodziła Julia, ale Jezusek opisywał, jak to wygląda – składa się rzeczy na łóżku i są wśród nich wszystkie zakazane przedmioty, które odebrano nam w izbie przyjęć. Łóżko wywozi się na korytarz, a potem przez szklane drzwi przechodzi się do części terapeutycznej; tam jest wszystko, czego nie mamy tutaj.

Nie wierzyłam w te opowieści, ale był wrzesień, pora największych zmian, nawet takich, które nie wydają się możliwe, na łóżku Jezuska leżały ubrania, laptop w pokrowcu, telefon komórkowy, szklany słoik z kawą, wszystko, z czym przyszedł do szpitala, a także to, co otrzymał pod okiem kamery w pokoju odwiedzin: książki i porcelanowy kubek z napisem „Możesz, potrafisz!". Pamiętam również szybkość, z jaką dokonało się jego przejście na stronę zdrowiejących, jakby był to uboczny, może nawet groźny, szczegół naszej hospitalizacji, o którym nie powinniśmy myśleć, ponieważ nie jest żadną regułą.

Takie ciepłe wrześniowe popołudnie – idealny dzień na powrót do normalności, gdybym miała wybór, dla siebie wybrałabym taki sam, pełen drgających klonowych cieni na ścianie. Rano Dzięcioł szukał wśród nich tego, co było mu najbardziej potrzebne. Potem Jezusek wyjechał z łóżkiem i miał na nim wszystko, czego potrzebował Dzięcioł: długopisy, monety, różne twarde, kanciaste, dobrze stukające końcówki.

– Co zabierasz? – zapytał Dzięcioł.

– Wszystko – powiedział Jezusek. – Zabieram wszystko.

– Nie zabieraj wszystkiego – prosił Dzięcioł. – Zostaw cokolwiek.

A potem Jezusek po prostu przebył niewielki odcinek niebieskiego korytarza i zniknął w otwartych na chwilę drzwiach. Sprawność tej procedury w pewien sposób powiększyła moje osamotnienie. Czułam się zdezorientowana i nie zabrałam się nawet do rozdzielenia palcami kolacyjnej bułki kajzerki i smarowania jej masłem za pomocą łyżki stołowej, choć już umiałam to zrobić. W sali obok płakał Ratownik, któremu nie udało się wyciągnąć kumpla ze zmiażdżonego pojazdu pancernego, pod wieczór widział to wyraźniej niż za dnia. Wyobrażałam sobie miejsce, gdzie odszedł Jezusek, a także rzeczy, które miał na łóżku. Myślałam o cywilnym ubraniu, które leżało w nogach złożone w kostkę, o puszce z kawą i kubku z napisem. Odejście Jezuska było najważniejszym wydarzeniem w ciągu dwóch tygodni, jakie spędziłam na oddziale. A także najbardziej niepokojącym. Leżąc pod okiem kamery, wyobrażałam sobie, jak wygląda w tej chwili sala męska i co się teraz z nami stanie. „Mam trzynaście lat!" – powiedział ktoś w sali obok. Adam, strzelec pokładowy, od momentu odejścia Jezuska powtarzał to nieustannie: „Mam trzynaście lat, mam trzynaście lat. Mam trzynaście lat!"...

Następnego dnia stanęliśmy przed szklaną ścianą, wypatrując znajomej twarzy wśród ozdrowieńców po drugiej stronie. Nie mieliśmy nic innego do roboty. Nie byłam w stanie skupić się na lekturze, drażniło mnie szare niezmordowane oko kamery, byłam pewna, że podczytuje mi tekst, a żołnierz i tak spędzał całe dnie, przyglądając się czerwonej stronie. Dzięcioł znalazł gdzieś zatyczkę długopisu i stukał w szybę podniecony nadzieją, z jaką obserwował go żołnierz.

Nigdy się nie dowiedziałam, kim był Dzięcioł, i nie przypuszczam, żeby on to wiedział, nie nawiązaliśmy ze sobą takiego kontaktu. Czasami stawał przy moim łóżku i wodził wzrokiem po książkach w miękkich oprawach, kosmetyczce na rzepy, wszystkich tych przedmiotach bez kantów, które nie przedstawiały dla niego żadnej wartości. Potrzebował skuwek, zatyczek, oprawek okularów, drobnych twardych części, którymi dawało się stukać w szklane drzwi. Ponieważ spędzaliśmy dużo czasu razem, przypisałam mu wiele swoich myśli i pragnień, ale nie wiedziałam nawet, dlaczego przebija się na część terapeutyczną, zamiast poczekać na swoją kolej jak my wszyscy. Może bał się bardziej niż ja. Nie rozumieliśmy, co się z nami dzieje ani od czego zależą nasze przenosiny, a chodziło przecież o najważniejszy w naszym życiu rytuał przejścia – w świat ludzi poczytalnych. Może liczyliśmy na to, że Jezusek coś nam podpowie, nie mieliśmy innych znajomych po tamtej stronie.

Czasem widzieliśmy, jak za szybą otwierają się czerwone drzwi i na korytarz wylewa się gromadka ludzi ubranych w dżinsy lub w kolorowe dresy. Ci ludzie rozchodzili się do swoich pokojów albo znikali w pomieszczeniu tuż obok szklanej ściany, za którą staliśmy. Po kilkunastu minutach zbierali się ponownie wywabieni z pokojów jakąś tajemną siłą, czerwone drzwi zamykały się za nimi i przez kilka godzin panował zupełny, niepojęty dla nas spokój. Dzięcioł

walił wtedy w szybę z całych sił, wołał: „Tu jestem! Jestem tutaj!". Żołnierz też nie lubił takich chwil, robił się niespokojny,
jakby nie mógł znieść myśli, że Czerwoni odeszli bez niego.

Nie pamiętam, kto nam powiedział, że ci ludzie to grupa
terapeutyczna, którą my też się kiedyś staniemy – do tego
dążyliśmy w naszym oczekiwaniu wszyscy: szeregowy Mazur, ratownik z Afganistanu, który usuwał ciała zabitych
z wozów opancerzonych, strzelec pokładowy Adam i jeszcze kilka osób. Niczego tak nie pragnęliśmy, jak być częścią
tych niezrozumiałych rytuałów, ale chyba nie wierzyłam, że
nam się uda. Pewnego dnia my, obłąkańcy zajmujący trzy
sale oddziału zamkniętego, staniemy się społecznością terapeutyczną – zgraną, precyzyjną maszynerią do samouzdra-
wiania. Wydawało mi się to mało prawdopodobne. Mnie
kamera podczytywała tekst, Ratownik wyciągał z pojazdu
kumpla, krzyczał: „Gdzie masz nogi, co zrobiłeś z nogami?!",
Adam nadal miał trzynaście lat, mimo leków nie chciał pójść
dalej. Nie wiedzieliśmy, co możemy dla siebie zrobić i do
jakiego stopnia zmiana zależy od nas. A jeżeli nie mieliśmy
cech, które pozwolą nam się narodzić na nowo?

Myślę, że tego bałam się bardziej nawet niż szeregowy
Mazur i za przynależność do tamtej grupy ozdrowieńców od-
dałabym wszystko, co wtedy posiadałam – szczoteczkę do zębów i plastikową łyżkę stołową.

Odejście Jezusa jeszcze spotęgowało moje zwątpienie,
nawet my wiedzieliśmy, że nie jest zwyczajnym człowiekiem –
wieczorami siedział przy Ratowniku, powtarzał, że wszystko
się znajdzie. To, że jemu się udało, nie stanowiło dla nas żadnej gwarancji ani nawet obietnicy. Żołnierz nie mógł czekać,

musiał się pozbyć tego, co przywiózł z Afganistanu. Ja bałam się, że ta procedura, jakiej byliśmy poddawani, nie jest do końca zrozumiała nawet dla ludzi, którzy ją stworzyli. Tak, tego bałam się najbardziej, że możemy zostać tu na zawsze, ponieważ nikt tak naprawdę nie wie, jak działa system.

Jezuska zobaczyliśmy dopiero trzeciego dnia. Oddzielała nas od niego szklana ściana, ale już się zbliżał. Słyszałam szybki oddech Dzięcioła rozbijający się o szybę tuż obok mojej twarzy i udzieliły mi się jego pobudzenie i jego nadzieja.

Jezusek szedł ku nam ubrany jak na przepustkę, w sztruksowe spodnie, kurtkę i buty wiązane sznurowadłami. W takim stroju widziałam go po raz pierwszy. My nadal mieliśmy na sobie szlafroki pod kolor ścian, tak ściśle i bezwzględnie określające beznadziejność naszego położenia – byliśmy ludźmi pozbawionymi zegarków, telefonów komórkowych, przedmiotów szklanych i metalowych, luster, prądu, a w przypadku Dzięcioła także paska od szlafroka i wszystkiego, czym dawało się stukać w szklaną ścianę.

Człowiek idący ku nam korytarzem, tak dobrze znany jeszcze przed paroma dniami, wydał mi się zupełnie obcy. Może sprawiło to cywilne ubranie, a może ta dzieląca nas szklana ściana będąca po części drzwiami. Dzięcioł w ogóle nie uznawał tej bariery, przebijał się na terapeutyczną stronę dziesięciogroszówką, którą rano znalazłam w damskiej toalecie.

Jezusek był coraz bliżej i nie mogliśmy już ukryć podniecenia.

– Jestem tutaj! – zawołał żołnierz, a ja oddychałam szybciej, czułam bicie serca i zapach cytrynowego płynu czyszczącego do szyb, jakby wyraźniejszy, wzmożony moim oczekiwaniem i jakąś bezrozumną nadzieją związaną z człowiekiem po drugiej stronie szyby.

Jezusek szedł ku nam, teraz wiem, że naprawdę na niego liczyliśmy – miał nas uchronić przed wszystkim, czego nie rozumieliśmy. Ja czekałam również, żeby mi powiedział, jaki mamy dzień tygodnia; tylko jemu wierzyłam.

– Pamiętasz mnie? – krzyknął żołnierz. – Tu jestem!

– Mam trzynaście lat! – wołał Adam ze swojego łóżka w dużej sali męskiej. – Trzynaście!

Jezusek zatrzymał się przy telefonie wiszącym na ścianie i podniósł słuchawkę. Rozmawiał z kimś, patrząc wprost na nas. Dzięcioł uderzał w szybę monetą. Przez chwilę też miałam wrażenie, że Jezusek rozmawia z nami – taki sam aparat wisiał po naszej stronie drzwi – dodzwonił się, teraz już wszystko będzie dobrze.

– Jesteśmy tutaj – krzyknęłam.

– Trzynaście! – zawołał Adam. – Trzynaście.

Przyszła siostra oddziałowa i odebrała Dzięciołowi dziesięciogroszówkę.

– Panie Jacku, już o tym rozmawialiśmy. Trzeba spokojnie poczekać na swoją kolej. Leki zaczną działać i będzie o wiele lepiej. Jeszcze tydzień, może dwa. Jak pan będzie przez cały czas stukał, wszyscy oszalejemy.

Wtedy dowiedziałam się, że Dzięcioł ma na imię Jacek.

Jezusek odwiesił słuchawkę, odwrócił się i odszedł w głąb korytarza. Patrzyliśmy, jak się oddala. Dopiero później zrozumiałam, że będąc po czerwonej stronie, nie dostrzega się ludzi przyklejonych do szklanej ściany. Są jedynie niechcianym wspomnieniem, widziadłem z przeszłości, o którym chce się jak najszybciej zapomnieć. Nie lubiłam tych widziadeł i starałam się ich nie rozpoznawać. Dołączywszy do ozdrowieńców, nigdy nie rozpoznałam Dzięcioła.

Przeszłam na czerwoną stronę w pewne poniedziałkowe popołudnie i odbyło się to tak sprawnie, że niektórzy pacjenci mogli tego nawet nie zauważyć. Przyszła siostra oddziałowa, powiedziała: „No to już, pani Grażyno", a ja przebyłam wraz z łóżkiem niewielki odcinek korytarza dzielący moją salę od szklanych drzwi – na łóżku miałam wszystkie rzeczy odebrane z depozytu. Prócz radości odczuwałam również pewien niedosyt. Spodziewałam się dużo większej zmiany, może jakiegoś stempla, jakiegokolwiek oznakowania świadczącego o mojej zdatności czy przysposobieniu do przejścia na stronę ozdrowieńców. Przekraczałam przecież bardzo ważną granicę. Dzięcioł został i kiedy zamknęły się za mną szklane drzwi, stukał w nie długopisem, który znalazłam między kartkami książki.

– Pamiętasz mnie? – zawołał żołnierz. – Jestem tutaj!

DRUGA STRONA

Poniedziałki były na oddziale ozdrowieńców dniem życiory-sów. Kiedy przyszłam, był dzień pani Stasi.

Wzbudziła we mnie współczucie, kiedy zobaczyłam ją po raz pierwszy... Takie współczucie budzą we mnie wszyscy starzy ludzie, ponieważ przypominają mi moją babcię Mie-cię. Pani Stasia stała obok swojego łóżka niemal na baczność, w jakiejś niezrozumiałej dla mnie gotowości, i opowiadała swój życiorys głosem monotonnym i pełnym nieustannego zdziwienia, jakby zapoznawała się z nim po raz pierwszy. Póź-niej w taki sam sposób stawała podczas każdego obchodu le-karskiego i roznoszenia tabletek tak boleśnie skupiona na so-bie, że nie docierał do niej głos Lekarza, który pytał: „Powie mi pani, jak się czuje? Powie mi pani? Może mi pani powie?". Nawet on nie potrafił dotrzeć do pani Stasi, a przecież poro-zumiewał się z Ratownikiem podczas najgorszych epizodów i z Adamem w tych tygodniach, gdy ten miał trzynaście lat. Taka myśl przyszła mi do głowy tylko raz i była przelotna. Żałuję, że o niej zapomniałam, pozwoliłam, by wyparły ją wydarzenia następnych tygodni.

Tego pierwszego dnia pani Stasia stała z ręką na meta-lowej ramie łóżka w pozie oczekiwania, Julia, moja druga współlokatorka, siedziała przy oknie. Kiedy weszłam, Julia wstała i powiedziała, że zaraz będą zajęcia relaksacyjne, lepiej od razu przygotować sobie koc – w sali terapeutycznej ciągnie od podłogi. Teraz jest tylko godzinna przerwa po terapii przedpołudniowej, można się napić herbaty, niektórzy wychodzą na papierosa. Zapytała, czy wiem, na czym polegają zajęcia relaksacyjne. Powiedziałam, że nie, w ogóle nic nie wiem. Jestem tu po raz pierwszy. Nie rozumiem, gdzie się znalazłam. Zapytałam, czy znają Jezuska.

– Tutaj wszyscy mówią sobie po imieniu – powiedziała pani Stasia. – Do mnie też tak mówią, mimo że mam siedemdziesiąt trzy lata. Czasem mówią do mnie „suko". Nie lubię zajęć relaksacyjnych.

– Kładziemy się na matach, a terapeutka puszcza relaksującą muzykę – objaśniła Julia.

Miała połyskliwe, prawie złote włosy. Patrząc na nią, myślało się przede wszystkim o tych włosach, nie o tym, jaka jest Julia. Czy jest ładna czy brzydka? Mnie wydawała się piękna i uspokoiłam się na widok jej włosów, jakby dawały pewność, że miejsce, do którego mnie przeniesiono, jest bezpieczne. Pomyślałam, że skoro Julia ma takie włosy, nie może się tu zdarzyć nic naprawdę złego. I myślałam tak aż do końca, nawet w tych tygodniach, kiedy Julia zaczęła te włosy tracić, i jeszcze później, kiedy je ścięła na krótko.

– Zajęcia relaksacyjne – powiedziała. – To taki program odprężający. Terapeutka mówi: teraz rozluźniamy mięśnie twarzy. Albo rąk, albo nóg, całego ciała. Wszystko nam ciąży, zapadamy się. Nigdy nie wiem, gdzie są mięśnie głowy. Nie czuję ich.

Zaczesała włosy za jedno ucho i sprawdziła, czy zakrywają wszystko po drugiej stronie. Było w tym ruchu coś, co przyciągało uwagę i kazało myśleć właśnie o niej. W ten sposób nawiązywała ze mną znajomość. Upłynęły tygodnie, zanim zrozumiałam, że tylko tak potrafi to zrobić. Komunikowała się z ludźmi poprzez swoje kalectwo i wydarzenie, które je spowodowało, zdominowało ją tak, jak włosy zdominowały jej wygląd, nie było wiadomo, jaka jest bez swojej tajemnicy. Upłynęły tygodnie, zanim to zrozumiałam, ale już tego pierwszego dnia intrygowało mnie, co ukrywa pod włosami, i czułam, jakie to ważne, żebym się tego dowiedziała w porę. Wracałam do tego myślą podczas rozmowy, prawie nie słuchając, co mówi pani Stasia. Patrzyłam, jak Julia manewruje włosami, przechyla głowę tak, by zawsze mieć nad nimi kontrolę. Tak, już wtedy wiedziałam, że w Julii skupiają się wszystkie nadzieje i zagrożenia tego miejsca.

Julia patrzyła na mnie spokojnie, miło uśmiechnięta. Pani Stasia opowiadała o zajęciach z poprzedniego tygodnia, na których spotkało ją coś nieprzyjemnego.

– Był już koniec zajęć, wszyscy zaczęli wstawać. I wtedy terapeutka powiedziała, że będę miała życiorys. Zrobiła to tydzień temu, we wtorek.

– Zajęcia relaksacyjne są w poniedziałek – powiedziała Julia. – O życiorysach zawsze nas uprzedzają tydzień wcześniej.

Usiadłam pośród wszystkich rzeczy, jakie dotąd przechowywałam w depozycie, nadal byłam w szlafroku i nie wiedziałam, czy chcę się przebrać. Zapytałam, czy mają tu Jezuska, znam go z oddziału zamkniętego. Szczupły blondyn z jasną cerą, średniego wzrostu. Widziałam, jak przechodził na tę stronę w zeszły poniedziałek.

– W poniedziałek? – Julia jakby się wystraszyła. – Zajęcia relaksacyjne są tylko raz w tygodniu. – Wciągnęła nogi na łóżko, przycisnęła się do ściany i błyskawicznie sprawdziła fryzurę. Jedno oko uciekło jej w tył głowy, drugie pozostało na miejscu, w pięknej, opalonej twarzy wydawało się jeszcze bardziej niebieskie, prawie fiołkowe. – Codziennie mamy coś innego. Dzisiaj omówienie weekendu i zajęcia relaksacyjne, życiorysy, jutro cele terapeutyczne, w czwartki psychodramy, to najtrudniejsze... – Pogłaskała się uspokajająco po ręku i zapytała, czy odpowiada mi miejsce po tej stronie pokoju. Niestety, słońce pada na nie od szóstej rano, a żaluzja jest zepsuta i trudno ją opuścić. Oczywiście wie, że powinna to zgłosić na zajęciach piątkowych poświęconych sprawom porządkowym, ale okropnie się wstydzi zabierać publicznie głos.

– Próbowałam już trzy razy. – Julia uśmiechnęła się przepraszająco.

– Nie powinnam mówić życiorysu – dodała pani Stasia. – Mam siedemdziesiąt trzy lata.

Rozejrzałam się z roztargnieniem jak człowiek zrzucony z samolotu w nieznany teren. Moja walizka stała obok łóżka nierozpakowana. Przyciągnęłam ją za rączkę i ustawiłam sobie przy nogach. Jeszcze nie wiedziałam, czy tu zostanę.

– W zeszłym tygodniu mi to powiedziała, że teraz jest moja kolej. Jeżeli w ogóle to jest jej kolej. – Pani Stasia ruchem głowy wskazała czwarte łóżko.

Na czwartym łóżku siedziała Karolinka.

Popatrzyłam na zupełnie nieruchomą postać i przypomniałam sobie, że o Karolince słyszałam już po stronie niebieskiej. Miała trzydzieści trzy lata, ale przyznawała się do dwunastu. Kiedyś pracowała na politechnice. Załamała się nerwowo podczas obrony pracy doktorskiej i od lat przebywała prawie wyłącznie w zakładach psychiatrycznych. Jej lęk przed powrotem do tamtych czasów był tak silny, że wolała cofnąć się aż do dzieciństwa. Czytała dziecinne książeczki i starała się w ogóle nie poruszać, jakby sądziła, że w ten sposób uniknie dalszego rozwoju. Teraz siedziała na łóżku sztywno, tak nieruchomo, że wywoływało to napięcie u patrzącego. Julia się zaśmiała, gdy poruszyłam kilka razy palcami rąk, i powiedziała, że kiedy ona zbyt długo patrzy na Karolinkę, podkula palce stóp, zauważyła to już jakiś czas temu. Karolinka wpatrywała się w kubek stojący na nocnym stoliku.

– Nie jestem lękowa – ciągnęła pani Stasia. – Więc nie powinnam mówić życiorysu. Nie przed tymi ludźmi. Są naprawdę źli, zbrukają wszystko, a najgorszy jest ten Biały. Białego boję się najbardziej.

Nie wiedziałam, o co chodzi z tym życiorysem ani kim jest Biały, ale chciałam pomóc pani Stasi, nadal przypominała mi babcię Miecię. Wydawała się taka krucha i zagubiona, bardziej nawet niż Karolinka.

Wsunęłam walizkę pod łóżko i usiadłam. Z mojego miejsca pod oknem rozciągał się widok na błonia zamknięte z jednej strony odległą linią lasu. Teren ośrodka był ogromny, dopiero teraz mogłam ocenić jego powierzchnię. Od strony południowej widać było, że dom stoi na wzniesieniu. Zaraz za murami rozciągały się tereny rekreacyjne, korty tenisowe i pole golfowe. Ktoś szedł przez wielki trawnik z kosiarką.

– Mam wszystko opowiedzieć tym ludziom? – mówiła z pretensją pani Stasia. – Trzeba zacząć od dzieciństwa. Mam mówić o tym, że mieszkałyśmy z mamusią na strychu, nad składem aptecznym? Ci ludzie tego nie zrozumieją. Już sobie wyobrażam, jak się będą śmiać. Nie zrobię tego. Nie wyobrażam sobie nawet, co oni mi zrobią, jak powiem swój życiorys.

– Tutaj się mówi życiorysy? – zapytałam.

Jeszcze raz rozejrzałam się po sali. Urządzona była prawie identycznie jak sala na oddziale zamkniętym; przybyłam tu przecież z łóżkiem. Jedynym dodatkiem była trzydrzwiowa szafa i lustro nad umywalką, poza tym pacjenci nie chodzili w szlafrokach. Pani Stasia ubrana była w spódnicę z dzianiny i sweter, Karolinka, wciąż trzymająca dłonie złożone równo na udach, w niebieski dres. Przez chwilę miałam wrażenie, że się poruszyła.

Julia powiedziała, że to możliwe. Jak się bardzo uważa, można to zauważyć, ale Karolinka nie lubi, jak się zwraca na nią uwagę. Boi się wtedy bardziej niż zwykle.

– Karolinka nie będzie mówiła życiorysu, ona w ogóle nie mówi. Nigdy się nie odzywa, gdy jest więcej niż kilka osób. Przy nas mówi tylko: „Prawie nie ma się czego bać".

– Tutaj mówi się życiorysy? – upewniłam się.

Ktoś szedł przez trawnik z kosiarką, między drzewami widać było taflę wielkiej rzeki, a może jeziora, tego gorącego dnia zupełnie spokojną, aż szklistą od słońca. Z głębi oddziału dochodził męski głos, mówiący coś z wściekłością. Julia przeczesywała palcami piękne blond włosy leżące na jej ramieniu.

– Mówi się zwykle w szóstym tygodniu pobytu. – Julia skubała teraz włosy na końcach. Miała na sobie dżinsy i bluzę z kapturem. Zastanawiała się głęboko nad każdym słowem, jakby chciała mieć pewność, że dzięki jej słowom stworzę sobie obraz jak najbardziej zbliżony do prawdy. – Trzeba to zrobić bardzo dobrze, tak żeby nikt nie powiedział, że życiorys jest do niczego, za krótki albo że pomija jakieś sprawy, jest niezrozumiały. Często mówimy, że jest niepełny albo płytki. Przeważnie mówią żołnierze, cywilni rzadziej, ale w zeszłym tygodniu terapeutka powiedziała, że ma mówić życiorys pani Stasia.

– Mamusia zamykała mnie w pokoju i szła do pracy, a ja wyszłam na dach przez klapę kominiarską w taki słoneczny, ciepły dzień – opowiadała pani Stasia, stojąc sztywno w nogach swojego łóżka. – A sukienczynę miałam taką krótką. I wszystko było takie piękne, pola w słońcu i niebo. Pokazywałam paluszkiem chmury i mówiłam: „chmulki". Za nic nie powiem tego tym ludziom. Są straszni. Nie powinnam im opowiadać takich rzeczy. Zbrukają wszystko.

Otworzyłam podręczną torbę i powoli zaczęłam się rozpakowywać. Na łóżku miałam wszystkie przedmioty pozostawione w depozycie na czas pobytu na oddziale zamkniętym. Były tam szampon do włosów i suszarka, chyba na to cieszyłam się najbardziej. Sprawdzając kąty sali, omiotłam wzrokiem sufit. Wewnątrz podwieszonej pod nim jarzeniówki nad moją głową pulsowała drobna czerwona kropka. Kamer nie było. Wyjęłam z walizki książki: przewodnik po Indiach i *Annę z gabinetu bajek*, zamierzałam dużo czytać.

– Trzeba zacząć od najwcześniejszego dzieciństwa – mówiła pani Stasia. – Tak brzmi pierwszy punkt instrukcji pisania życiorysu: twoje najwcześniejsze wspomnienie z dzieciństwa. Powiedziałam: „Mamusiu, chmulki". Były piękne, takie pierzaste, jak wata cukrowa. Ale mamusia chwyciła mnie z tyłu za warkoczyk i ściągnęła z dachu. Myślałam, że coś urwało mi głowę...

– Prawie nie ma się czego bać – powiedziała Karolinka uspokajająco i przesunęła rękę bliżej kubka z Kubusiem Puchatkiem.

– Było tak pięknie. A potem mamusia zbiła mnie czerwonym lakierowanym paskiem od sukienki. Żebym już nigdy nie wychodziła na dach.

Ta chwila utkwiła mi najbardziej w pamięci, reszty tego pierwszego dnia już tak dobrze nie pamiętam: pani Stasia mówi, że mamusia ją zbiła, omal nie urwało jej głowy. Patrzy na mnie i niespodziewanie wydaje się zadowolona, jakby taki początek życia dobrze o niej świadczył, dawał jej przewagę nad tymi nieznanymi ludźmi, którzy mieli wysłuchać jej życiorysu. Przez chwilę próbowałam ich sobie wyobrazić, tych ludzi, którym trzeba dobrze opowiedzieć taką historię, i poczułam lęk; wszystkie swoje historie mam dobrze pozamykane, nigdy ich nie opowiadam.

– Szczupły, łysiejący blondyn – powiedziałam. – Wszyscy mówią do niego Jezusek. Przyszedł tu w zeszłym tygodniu.

Pani Stasia już na mnie nie patrzyła i choć nadal domagała się z mojej strony zainteresowania, jednocześnie nie zwracała na mnie uwagi, jakby nie mogła mnie usłyszeć. W najlepszym razie przyglądała się moim słowom, tym obcym, nadlatującym ku niej ptakom, jakby ustalała ich pochodzenie, nigdy dotąd z czymś takim się nie zetknęła. Było to niepokojące i dziwnie bolesne doświadczenie.

– I co było dalej? – zapytałam. Miałam nadzieję, że dzięki temu rozpoznam jakoś tych ludzi, których tak się bała pani Stasia. Już ich wyczuwałam w dźwiękach dobiegających z głębi oddziału. Julia powiedziała, że to grupa terapeutyczna, czyli my wszyscy. Nie ma się czego bać, choć to prawda, że w dniu życiorysów mamy dużą władzę i potrafimy być groźni.

– Teraz ty też do nas należysz – powiedziała i skubnęła włosy prawie u nasady. – Za piętnaście minut rozpoczynają się zajęcia relaksacyjne. Weterani nie muszą na nie chodzić, tylko cywile. Też musisz na nie pójść.

– Wczoraj wyszłam do łazienki w koszuli nocnej – powiedziała pani Stasia. – A oni dziś powiedzieli, że nie chcą widywać starej baby bez ubrania. Jeden powiedział, że mam „cyce" i że nie musi ich oglądać, przed chwilą mi tak powiedział. I ja mam mu opowiadać o mamusi! Mam siedemdziesiąt trzy lata.

Położyłam się na łóżku i przez chwilę patrzyłam w sufit, zastanawiając się, czym jest niewielka, pulsująca na czerwono kropka wewnątrz plafonu oświetleniowego. Pani Stasia nie ruszyła się ze swojego kąta, ale odwróciła się bardziej w moją stronę.

– Drzewa były takie wysokie, już nigdy potem nie widziałam takich wysokich drzew.

Już wtedy wyczułam, że coś jest nie w porządku z panią Stasią, ale co to było? Wydawała się zupełnie normalna, trochę tylko wystraszona i przejęta perspektywą tego życiorysu, co było zrozumiałe, skoro bała się ludzi, którym miała go opowiedzieć. A jednak miałam wrażenie, że czegoś jej brakuje, jest cała tylko na pozór i z wierzchu, jak mój mąż, kiedy siedział przy kawiarnianym stoliku w ruinach miasta i mówił do mnie: „Spójrz, nic mi nie jest, jestem cały", podczas gdy w rzeczywistości nie miał połowy ciała, siedział w pustym ubraniu. Z panią Stasią było podobnie, tylko w jej przypadku ten brak leżał gdzieś głębiej. Ale na czym polegał? Mówiła do mnie cały czas, stojąc sztywno na baczność, a ja czułam, że mam większy kontakt z Karolinką na czwartym łóżku, choć nawet nie zamieniłyśmy słowa. Karolinka całą uwagę skupiała na kubku z Kubusiem Puchatkiem i wydawała się całkowicie oderwana od świata.

Zapytałam, czy Karolinka nas słyszy. Julia przechyliła na ramię głowę, zastanawiając się nad odpowiedzią.

– Może... – powiedziała z powątpiewaniem. – To znaczy tak! Słyszy, kiedy nie ma nad sobą Wielkiego Oka. Kiedy jest, myślę, że nic nie słyszy.

– Mamusia zawsze była dla mnie dobra, prała i sprzątała, zawsze chodziłam czysto. Zaharowywała się na śmierć, żebym mogła pójść na studia, na strychu nie było prądu ani bieżącej wody, do ubikacji chodziłyśmy do sąsiadów. Mamusia płaciła im za to trzy złote miesięcznie.

Życiorys pani Stasi miał to do siebie, że szybko nużył, może dlatego że dotyczył takich mglistych, nie do końca zrozumiałych spraw. Zamiast słuchać pani Stasi, obserwowałam Karolinkę, która znów się poruszyła, teraz rękę trzymała na brzegu nocnego stolika.

– Przez całe studia nosiłam jedną sukienkę, granatową z koronkowymi mankietami – mówiła pani Stasia. – Kiedy wyjeżdżałam do akademika, mamusia przerobiła mi ją ze swojego ślubnego kostiumu, a potem co roku przenicowywała na drugą stronę. Z lewej na prawą, a potem znowu na lewą. Poszłam w niej na obronę pracy magisterskiej. Miała już wtedy dziury pod pachami.

Zapytałam, co Karolinka robi, i Julia odparła, że przeważnie sięga po kubek z kompotem.

– Robiła to już rano, jeszcze zanim przyszłaś. – Teraz już obie obserwowałyśmy Karolinkę i żadna z nas nie zwracała uwagi na panią Stasię. – Boi się ruszać. Chyba jej się wydaje, że ktoś ją cały czas obserwuje. Zresztą nie wiem. Podobno obserwuje ją Wielkie Oko.

W tych chwilach kiedy Karolinka widywała nad sobą Wielkie Oko, robiła się strasznie wielka, miała olbrzymie ręce i nogi, wielki tułów, nigdzie nie dawało się jej schować, choć prosiła o to cały czas. Leżąc na płask, z rękoma ułożonymi równo wzdłuż ciała i palcami stóp ściągniętymi w dół jak u baletnicy, prosiła, żeby ją porządnie schować: „Schowajcie mnie dobrze, proszę!". Kiedy mówiłyśmy, że nie potrafimy, powtarzała: „Prawie nie ma się czego bać!".

– Nie opowiem mojego życiorysu tym ludziom – powiedziała pani Stasia. – Nie mogą mnie do tego zmusić.

– Jest to czas dla pani – powiedziała terapeutka. – Trzydzieści minut na życiorys i dwadzieścia na jego omówienie przez grupę. W tym czasie nikt nie będzie pani przerywał. Po wysłuchaniu życiorysu poproszę grupę o wyrażenie swoich odczuć. Co czuliście państwo, słuchając wypowiedzi pani Stasi, a także w jaki sposób możecie odnieść jej doświadczenia do wydarzeń we własnym życiu.

Siedziałam bardzo spokojnie, rozglądając się po ludziach zajmujących krzesła w kręgu. Nadal nie wiedziałam, co się wokół mnie dzieje, co się za chwilę wydarzy i jaki to będzie miało związek ze mną i z innymi ludźmi w kręgu terapeutycznym. Życiorys pani Stasi poznałam wcześniej, do niej i do Julii zaprowadziła mnie siostra oddziałowa. Dawało mi to niejasną przewagę w tym zupełnie niezrozumiałym świecie, w którym się znajdowałam od kilku godzin. Znajomość historii pani Stasi była moim jedynym punktem oparcia i swego rodzaju zabezpieczeniem, choć jeszcze nie wiedziałam, przed czym będę potrzebowała ochrony.

Nie ma nic do opowiadania i nie wiem, dlaczego przyjęli mnie na ten oddział. Trochę szarpie mi nogę, ale to wszystko. Urodziłam się w 1940 roku. Chodziłam do szkoły podstawowej, potem do liceum w mieście, a potem mamusia wysłała mnie na studia bibliotekoznawcze. Po studiach wyszłam za mąż i urodziłam dzieci. Byłam zatrudniona w bibliotece miejskiej i byłam bardzo szczęśliwa, bardzo sumiennie pracowałam, nigdy nie brałam zwolnień lekarskich, pracowałam społecznie, raz w roku przeprowadzałam reorganizację katalogów w dziale nowości. Zawsze wszystko miałam w porządku, w papierach i na półkach. Mieliśmy dostać przydział na wczasy nad morzem. A potem kierownik działu powiedział, że nie otrzymam przydziału na bojler, choć zgłosiłam zapotrzebowanie i wszyscy inni dostali, ale kierownik działu powiedział, że mi się nie należy z uwagi na małą wysługę lat. A ja pracowałam sumiennie, nigdy nie brałam zwolnień lekarskich, nigdy nie miałam zaległości w pracy, katalogowałam na bieżąco. I miałam jechać na kurs dla bibliotekarzy, wszystko było już załatwione, pokój w ośrodku szkoleniowym i dopiero wtedy powiedzieli mi, że zabrakło miejsc. Potem rozwiedliśmy się z mężem. Spakował się i wyprowadził. Z mężem rozwiodłam się po trzech latach małżeństwa, nie było w tym mojej winy. Powiedział, że nie może dłużej ze mną być, więc się wyprowadza. Dzieci też się wyprowadziły, nie było w tym mojej winy. Są dorosłe, wiedzą, co robią. Przeszłam na emeryturę. I to już koniec mojego życiorysu.

Pani Stasia miała rację – nie powinna opowiadać swojej historii tym ludziom. Kiedy skończyła, zapadła długa cisza.

– Nie rozumiem. – Pierwszy odezwał się żołnierz siedzący obok Jezuska. Siedział na wózku inwalidzkim, starając się usadowić jak najwygodniej. Nie miał nóg. – To jakiś eksperyment?

Teraz, gdy wracam do tamtego pierwszego dnia, myszkuję w jego zakamarkach, częściowo zapomnianych, odkrywam przede wszystkim Marka. On był pierwszą osobą, którą zobaczyłam po przejściu szklanych drzwi. Poznałam go wcześniej niż Julię i panią Stasię, wydaje mi się to ważne. Przechodząc z siostrą oddziałową z oddziału zamkniętego na terapeutyczny, spojrzałam w głąb korytarza. Marek wyjechał z ostatniej sali, dwoma ruchami rąk przebył szerokość korytarza i zniknął w drzwiach po drugiej stronie. Wieczorem tego dnia Julia powiedziała mi, że to jest „bohater z Afganistanu", tak go nazwały gazety, musiałam o nim słyszeć.

– To Marek – powiedziała zdziwiona moją niewiedzą. – Jest tu na stałe.

O Marku pisały gazety i mówiono o nim w telewizji. Opisywano to, co zrobił w Afganistanie, ale tak naprawdę nikt chyba nie wiedział, co się wydarzyło – taka wielka niewiadoma. W tym miejscu Julia przerwała swoją opowieść, zastanowiła się i powiedziała, że właściwie ona też nie zna Marka, nie było jej, kiedy mówił swój życiorys. Na pewno było to już dawno temu, może w maju. Nie było jej wtedy na oddziale, miała przerwę między szóstą a siódmą hospitalizacją, więc nie zna historii Marka. Nie wie, co mu się przytrafiło na wojnie. Wie tylko, że otrzymał medal za to, co zrobił, uratował komuś życie, a może tylko próbował, i wtedy urwało mu nogi. Na życiorysach weterani zwykle mówią, co przeżyli na wojnie, życiorysy po to są.

– Czasem mówią – poprawiła się Julia po namyśle – jeżeli hospitalizacja przebiega naprawdę pomyślnie.

Markowi musiało się przydarzyć coś strasznego, skoro jest tu tak długo i nadal chce umrzeć. O takich rzeczach nie mówi się poza salą terapeutyczną, więc chociaż spędziła z Markiem na oddziale kilka miesięcy, niewiele o nim wie. Kiedy go przewieziono do szpitala, interesowały się nim wszystkie media. Taka przejmująca historia, szkoda, że Julia jej nie pamięta. Może taka jak wszystkie te żołnierskie historie, które się tu słyszy. W gazetach pisano, że był ambitnym analitykiem wojskowym, znającym cztery języki obce, który poświęcił armii wszystkie umiejętności. Został ranny, ale już wcześniej chciał umrzeć, załamał się od tego, co widział na wojnie. Po pobycie w klinice w Niemczech przywieziono go tutaj, żeby wydobrzał psychicznie, chyba na początku zimy, dawno temu.

Julia potarła czoło nadgarstkiem, jakby coś nie zgadzało się w informacjach, których sama udzielała.

– Więc właściwie nie rozumiem – przyznała. – Przecież nie można chyba utracić aż tyle, żeby nie chcieć wracać do domu? A może można? Człowiekowi wydaje się, że coś od niego zależy, tak starannie kształtuje swój los, a w rzeczywistości nic nie kształtuje, załamuje się od tego, co zobaczy na wojnie. Ale teraz jest już dobrze. Marek jest bardzo opanowany i taki spokojny, bardzo zrównoważony.

Julia zamyśliła się i powiedziała, że to się nie zawsze udaje, to leczenie weteranów, ta kuracja jest tak trudna, że czasem trzeba ją powtarzać kilka razy. Ale w tym wypadku chyba się udała, ponieważ Marek już nie cierpi z powodu tego, co się wydarzyło na wojnie. Więc można powiedzieć, że miał szczęście mimo wszystko. Jest tutaj, bo po prostu nie chce jeszcze wracać do domu.

Kiedy przeszłam z oddziału zamkniętego na rehabilitacyjny, Jezusek poznał mnie od razu.

Miał na imię Krzysztof, ale nikt o tym nie pamiętał z wyjątkiem terapeutki i lekarza prowadzącego. Mylili się nawet sanitariusze i pielęgniarki.

Jezusek leżał w małej sali męskiej, nasłuchując w napięciu i z umęczeniem tego, co się dzieje obok za ścianą w sali dla weteranów, wszystkich tych rozdzierających żołnierskich opowieści, krótkich ataków rozpaczy i buntu przenikających przez barierę psychotropów. Zdawało się, że wszystkie te głosy spływają ku niemu i tam znajdują ostoję i ukojenie, na tym polegała choroba Jezuska. Był jedynym mężczyzną na oddziale, który nie miał za sobą misji w Iraku lub w Afganistanie, w ogóle nigdy nie walczył. Myślę nawet, że mógł w ogóle nigdy nie być w wojsku. Nie mógł znieść tego, co słyszy, mówił, że wszystko go od tego boli. Kiedyś podszedł do mnie na korytarzu nieśmiały i umęczony do ostateczności.

– Myślę, że od tego umrę – przyznał. – Nie rozumiem, jak to się mogło stać. Czy to możliwe, żeby działy się takie rzeczy? Tak – odpowiedział sam sobie po krótkim namyśle. – Oczywiście, że możliwe. Bardzo przepraszam, że zawróciłem pani głowę. – Był ode mnie dużo młodszy i różnica wieku sprawiała, że nie potrafił zwracać się do mnie po imieniu.

Rzadko zachodził do żołnierskiej ośmioosobowej sali, czasem stawał tylko w drzwiach, jakby chciał się na własne oczy przekonać, czy to, co słyszy za dnia i w ciągu nocy, może być prawdą. Czy rzeczywiście te słowa i te myśli mogą być tworem ludzkiego losu i pokiereszowanego ludzkiego umysłu? Myślę, że nie przebolał tego aż do końca, w ciągu całej swojej dwunastotygodniowej kuracji, która miała uczynić z niego typowego człowieka. Jezusek taki miał cel terapeutyczny.

Terapeutka pytała go o to w każdy wtorek. Był to dzień przeznaczony na poranne określenie celu na dany tydzień.

– Jaki jest pana cel terapeutyczny na ten tydzień? – pytała, starając się pamiętać, że Jezusek ma na imię Krzysztof. Jezusek zakładał nogę na nogę i splatał dłonie na kolanie lekko pochylony do przodu, zupełnie oddany drugiemu człowiekowi. Nie lubił wystąpień publicznych, nawet tych w kręgu terapeutycznym.

– Chciałbym bardziej udzielać się w grupie – mówił i patrzył na terapeutkę z bezgraniczną cierpliwością. – Powiedzieć coś więcej o sobie. Zrozumieć, jaki błąd popełniam w relacjach z ludźmi.

Ratownika prawie nie poznałam, tak się zmienił od czasu pobytu na oddziale zamkniętym. Leki zdjęły z niego najbardziej widoczną warstwę stresu bojowego, wystarczyło kilka tygodni, by ją z niego usunąć farmakologicznie. Nie krzyczał już wieczorami, szukając we wraku rosomaka nóg przyjaciela trzy, cztery razy w tygodniu. Potrafił zapanować nad tamtymi wydarzeniami: już wiedział, że miały miejsce w innym czasie, daleko stąd. Nadal jednak nie potrafił kontrolować obrazów, jakie ukazywały mu się w ciągu dnia.

– Dlatego ogoliłem głowę – powiedział, siadając na sąsiednim łóżku, cienie czerwieniejących winorośli oplatających werandę biegały mu po odsłoniętej, jeszcze tkliwej skórze jak zgłodniałe, chciwe myśli. Sąsiednie łóżko stało pod samym oknem i miały do niego dostęp ogrodowe szmery. – Wyglądam przez to zupełnie inaczej. Myślałem, że jeżeli będę wyglądał inaczej, będę kimś innym i nie będę widywał takich rzeczy. Ale nadal buzuje we mnie tak, że czasem chcę kogoś rozwalić.

Ratownik przychodził do mnie na pogawędkę po zajęciach porannych. Do południa mówił bardzo wyraźnie, wcale nie było znać tego upośledzenia mowy, które ujawniało się w miarę upływu dnia. Pod wieczór zniekształcał słowa, mówił na przykład „kotlarz" zamiast „korytarz". Denerwowało go to, ponieważ kiedyś był rehabilitantem, pracował w ośrodku rehabilitacji dla dzieci.

– Rozumiesz, złapać i rozwalić głowę o ścianę. Idę korytarzem albo siedzę w palarni, i czekam, żeby ktoś mnie sprowokował. Gdyby mnie stąd wypuścili, zabiłbym kogoś w ciągu godziny. Chodziłbym ulicami i wypatrywał kogo. Dlatego tak rzadko wracam do domu, mam tam siostrę i jej dwoje dzieci. Kiedy jestem tutaj, wiem przynajmniej, że nikomu nie zrobię krzywdy.

Taki nie może wrócić do pracy w ośrodku rehabilitacyjnym, to chyba oczywiste. Oczywiste, prawda? Pytał mnie o to raz po raz, jakby się spodziewał, że kiedyś udzielę innej odpowiedzi. Mówił, że kiedy się zamyśli, a potem niespodziewanie spojrzy w dół, widzi, że trzyma odcięte ręce albo nogi – z czymś takim nie nadaje się do pracy z dziećmi, nie nadaje się, prawda?

– Najgorsze jest to, że nie wiem, czy one są moje czy kogoś innego. Myślę, że gdybym to wiedział, przestałoby mnie tak łupać w głowie i w ogóle byłbym spokojniejszy. Kilka razy trzymałem urwane ręce albo nogi, tych ludzi, których ratowałem, ale teraz wydaje mi się, że są moje. Kiedy mam te flashbacki, zupełnie mi odbija.

Flashbacki to nawracające obrazy traumatycznego zdarzenia, które wywołało zespół stresu pourazowego. Opowiadano mi o nich wielokrotnie, ale na własne oczy widziałam to tylko raz.

Ratownik stał na tarasie, zdawało się, że przygląda się różom. Podeszłam, żeby porozmawiać, bardzo lubię kwiaty i interesuje mnie ogrodnictwo. Otworzyłam już usta, żeby powiedzieć, że pod południową ścianą odkryłam lwie paszcze, które już w ogóle nie powinny kwitnąć, bo są z innej pory roku. Ratownik odwrócił ku mnie głowę.

– Urwało mi stopę – powiedział. – Mam ją w ręku. But ze stopą w środku. Muszę stąd odejść. – Umknęłam wzrokiem w bok ku furtce, przez którą kiedyś próbował uciec. Była zamknięta na stałe i gęsto obrośnięta dzikim winem. – Sprzątam po sobie – powiedział Ratownik. – Różne kawałki wrzucam do worka na części ludzkie. Myślałem, że to sam but, wrzuciłem go do worka z rzeczami. Poszedłem się przejść, tylko tam i z powrotem. Mówiłem, że nie chcę sam wychodzić...

Dla Ratownika prawdziwą drogą ucieczki była pani Stasia. On pierwszy ją znalazł, dostrzegł ją poprzez pokłady swojej nieutulonej agresji, nietkniętej przez farmaceutyki i regularne, cotygodniowe golenie głowy. Było to tydzień po jego przyjściu na oddział terapeutyczny.

Miał zły dzień, jeden z najgorszych, kiedy zobaczył panią Stasię siedzącą samotnie w sali telewizyjnej. Szedł do łazienki ogolić głowę i zostało mu niewiele czasu, ale w jej postaci było coś, co sprawiło, że się zatrzymał. Pomyślał, że wprawdzie fatalnie opowiedziała życiorys, ale jest tylko starą, samotną kobietą. Choć czuł się bardzo źle, zrobiło mu się jej żal, pomyślał: to tylko starsza osoba. Podszedł i zapytał, czy nie przynieść jej czegoś do czytania, ma kilka książek. Tu film mu się urwał, na chwilę sala telewizyjna zniknęła mu z oczu, ale nie pojawiło się w zamian nic prócz pierwszego błysku wściekłości. Kiedy to się działo, zwykle szukał przez chwilę źródła gniewu, ale tam nic nie było, źródłem był on sam. Wiedział, że już nie zdąży do łazienki, po chwili będzie tak wściekły, że rozwali sobie głowę o ścianę, nic nie wkurzało go bardziej niż ta wściekłość, która pojawiała się znienacka i nie miała źródła poza nim samym. Pochylił się nad panią Stasią i powiedział: „Mam dużo książek. Trzy książki. Wszystkie na nic. Mogę pożyczyć". Na razie z nich nie korzysta, dodał to ostatkiem sił, z trudem szukając umykających słów. Nie rozumie tego, co czyta, ale przywiózł je ze sobą na wszelki wypadek. Pamięta, bo nie może się obejść bez książek.

Pani Stasia odeszła, zanim skończył mówić, nawet nie przyjrzała się tym pokiereszowanym, nadlatującym ku niej ptakom. W tej myśli znajduję jakieś wytłumaczenie tego, co się stało później, może nawet pociechę dla siebie. Może wyszło nam to wszystkim na dobre, nawet pani Stasi. Takie było założenie terapeutyczne – oboje ich przywrócić normalności, panią Stasię i Ratownika.

Pani Stasia była dla Ratownika ucieczką, choć chyba nigdy nie uwierzył, że jest ona możliwa. Tak jak ja nigdy naprawdę nie uwierzyłam w istnienie wielkiej rzeki, a Julia – torów kolejowych za pralnią. Jedynie Marek od samego początku wierzył w istnienie śmierci.

Życiorys, jaki opowiedziała pani Stasia, nie spodobał się weteranom, wtedy jeszcze nie rozumiałam dlaczego. Mnie wydawało się, że jest w porządku.

Zagadnęłam o to Julię, a ona powiedziała, że takich życiorysów się nie opowiada, są wymierzone w społeczność.

Zwykle ostro reagujemy na przejaw takiego lekceważenia, może dlatego że społeczność jest dla nas ostatnią deską ratunku. Zwykle przychodzimy tu, gdy nie ma już nic więcej. Nie możemy tolerować ludzi, którzy chcą nam to odebrać, działają przeciwko grupie.

– Czasem czegoś nie mówimy, bo nie potrafimy, ale przynajmniej się staramy. Ja zrobiłam to już cztery razy.

Nadal nie rozumiałam.

– Co więc trzeba powiedzieć? – zapytałam, bo wydawało mi się, że pani Stasia powiedziała wszystko co trzeba.

Julia wzruszyła ramionami i powiedziała, że pani Stasia w ogóle się przed nami nie otworzyła, nawet nie spróbowała, odtrąciła nas, mówiąc taki życiorys, a to zawsze budzi nasz gniew. Poza tym kradnie żywność z lodówki i w ogóle – chyba nie jest dobrym człowiekiem, nie lubimy takich ludzi. Wczoraj zajęła miejsce Marka w jadalni, a przecież wiadomo, że Marek może podjechać tylko do jednego stolika. I powiedziała Karolince, że nie jest aniołem, a to już zwykłe okrucieństwo, Karolinka nie powinna wiedzieć takich rzeczy.

– Myślę – powiedziała Julia z wahaniem, zniżając głos i spoglądając na boki, jakby zamierzała powiedzieć coś naprawdę okropnego – że jej nie obchodzą inni ludzie.

Jezusek był w klinice z powodu myśli samobójczych i ogólnego nieprzystosowania.

– Nie radzę sobie z ludźmi – powiedział, stojąc ze mną w jadalni przy czajniku elektrycznym. Wstawił wodę i czekaliśmy, aż się zagotuje. – Coś źle robię i potem wpadam w depresję. Jestem już bardzo zmęczony.

Nie był podobny do weteranów – nie miał blokady uniemożliwiającej mówienie o sobie, potrafił też nazywać uczucia. Nie cierpiał na zespół stresu pourazowego, który powoduje, że chory unika za wszelką cenę rozmowy o traumatycznym zdarzeniu. Jezusek mówił wprost, co sprawia, że ma ochotę się zabić.

– Nie sądzę, żebym naprawdę to kiedyś zrobił – powiedział. – To jest moja czwarta hospitalizacja. – Urwał, jakby chciał to przemyśleć, upewnić się, czy na pewno mówi prawdę. Zawsze bardzo precyzyjnie wyrażał swoje myśli. – Sądzę, że może w końcu bym spróbował, gdyby nie to, że pozwalają mi tu wracać. Przyjmują mnie, kiedy chcę.

Jezusek wracał do kliniki mniej więcej co półtora roku. Przez kilka tygodni Lekarz dobierał mu leki i potem Jezusek czuł się lepiej, choć oczywiście nigdy tak dobrze jak przed pierwszym incydentem samobójczym. Zanim poznał i oddał Marię, wszystko w jego życiu było dobrze. Oddał Marię przed dziesięcioma laty.

– Najgorsze jest to, że nie rozumiem, co robię źle.

Staliśmy, czekając na wrzątek. Jezusek męczył się okropnie, przestępował z nogi na nogę, nerwowo przeczesywał dłonią włosy. Męczyła go ta rozmowa, ale czuł się w obowiązku umilić mi czas oczekiwania – zawsze myślał przede wszystkim o innych. Wiedział, że te sprawy mnie interesują, coś go przymuszało do mówienia.

– Kiedy jestem tutaj, wydaje mi się, że wiem, co robię źle, w sumie to dość oczywiste – powiedział i umilkł, słowa uwięzły mu w gardle. Zerknął na czajnik, ale do zagotowania się wody pozostało jeszcze dużo czasu. Odetchnął głęboko i mówił dalej: – Potem stąd wychodzę i życie weryfikuje tę moją wiedzę. Po kilku miesiącach znowu robię coś, co obraca się przeciwko mnie. Podobno powtarzam wciąż ten sam schemat zachowania, który wywołuje u mnie stany depresyjne i sprowadza myśli o śmierci. Niestety, nie widzę, kiedy to się zaczyna i gdzie popełniam błąd.

Zapytał, czy ja widzę takie rzeczy.

– Wie pani, kiedy jest ten moment, gdy trzeba przedłożyć własne dobro nad dobro kogoś innego, pani Grażyno? Gdy trzeba się bronić przed ludźmi?

Wzruszyłam ostrożnie ramionami, żeby go nie urazić, i powiedziałam, że chyba nie mam z tym problemu, odruchowo przedkładam własny interes nad cudze dobro. No, może jest inaczej, gdy w grę wchodzi dobro dzieci.

– No właśnie – podchwycił. – U matek jest to usprawiedliwione, prawda?

Chwilę milczeliśmy, Jezusek dotknął nerwowo włącznika, sprawdzając, czy czajnik działa. Odwrócił z udręczeniem wzrok i wyczułam jego oczekiwanie. Może się spodziewał, że odwołam dalszy ciąg tej rozmowy, powiem, że poczekamy na wodę w milczeniu.

– W pracy mówią, że jestem nieprzystosowany. Nie wykazuję się inicjatywą i nie jestem konkurencyjny. Mówią, że nie mam ducha współzawodnictwa. Nie umiem także walczyć o swoją przestrzeń, sama pani zobaczy. Będą takie ćwiczenia z umiejętności obrony swojego terytorium. Niestety, sobie na nich nie radzę. Nie zauważam, kiedy ludzie naruszają moje granice. W ogóle nie wydaje mi się, żebym miał jakieś granice i żeby na ich obronie polegały relacje między ludźmi.

Lubię, kiedy są blisko i kiedy ich rozumiem. Może po prostu nie mam własnego terytorium i dlatego nie wiem, co zrobić na tych ćwiczeniach. Głupio się na nich czuję. Czy można rozpoznać granicę czegoś, czego się nie posiada? Bardzo się staram, ale prędzej czy później następuje moment, kiedy sprawy innych ludzi wydają mi się ważniejsze od moich własnych. To podobno też nie jest zdrowy objaw, dowodzi pragnienia nieustannej akceptacji. Po kilku tygodniach terapii zaczynam to rozumieć. Ale niestety, nigdy nie potrafiłem działać przeciwko drugiemu człowiekowi. Czuję się wtedy osamotniony.

Teraz na przykład nie rozumiał, dlaczego został zwolniony z pracy. „Pewnie znowu się okaże, że to moja wina. Więc to znowu moja wina, tak?"

– Dowiem się po kilku tygodniach terapii. Zawsze tak jest. Czuję ból, bo straciłem coś, co było dla mnie bardzo ważne. Zaczęło się przed dziesięcioma laty, kiedy straciłem Marię. Oddałem ją zupełnie niepotrzebnie, ale przecież nie zawsze trzeba robić to, co jest dobre dla nas. – Przełknął z wysiłkiem, jakby miał w gardle ciało obce, te słowa wcale nie były jego własne, należały prawdopodobnie do naszej terapeutki. Czajnik zaczął posykiwać, a potem równomiernie syczeć. – I nie wiedziałem, że ją kocham, myślałem, że tylko mi się podoba, a takie rzeczy przechodzą przecież bez śladu. Tyle mam na swoją obronę. Te sprawy omówiłem już z terapeutką, dlatego mogę o nich tak swobodnie mówić z panią. Nie mogłem wiedzieć, że będę Marię kochał zawsze, to znaczy dziesięć lat, bo to było dziesięć lat temu. Teraz oczywiście rozumiem, że nie powinienem z niej rezygnować nawet z ważniejszych pobudek. To rezultat terapii.

Z Marią spotkał się tylko kilka razy. Poszli do kina, na imprezę do znajomych i potem jeszcze raz do kina. Później Jezusek kupił bilety na koncert Stinga, żeby pójść z Marią, ale pomyślał, że będzie lepiej, jeżeli odda je bratu.

– To dla mnie bardzo charakterystyczne – powiedział. – Zrobiłem to, ponieważ wydawało mi się, że mój brat kocha Marię. I zawsze chciał zobaczyć Stinga.

Nigdy o tym nie rozmawiali, ale w głębi duszy wiedział, że brat kocha Marię od jakiegoś czasu, może od roku.

– Nie wiedziałem, że Maria jest dla mnie wszystkim – urwał i zastanowił się chwilę, czy tak było rzeczywiście. – Tak, wszystkim. Nie wiem, czy o tym wiedziała. Spotykaliśmy się dopiero od kilku tygodni. Teraz rozumiem, że też miałem prawo do szczęścia. Wprawdzie brat jest ułomny, w dzieciństwie chorował na polio. Ma jedną nogę krótszą i w ogóle, nosi but ortopedyczny, ale mamy takie samo prawo do szczęścia. Prawie takie samo. – Urwał i otarł pot z czoła. Był zupełnie wyczerpany. – Nie, takie samo, oczywiście, że takie samo.

Dlatego tu przychodzi – powiedział – żeby dowiedzieć się takich rzeczy. Choćby tego, że ma takie samo prawo do szczęścia jak każdy. Przychodzi tu, kiedy czuje, że sam sobie nie poradzi, ludzie napierają na niego ze wszystkich stron i nie ma już dokąd pójść.

– Gdy jestem tutaj, rozumiem, że to moja wina: nie umiem ustrzec swojego terytorium. Tak, to prawda, że oddałem kuzynowi mieszkanie. Tak, nie powinienem tego robić, to było wbrew moim interesom. Uczą mnie tu, jak lepiej pilnować swoich interesów. Mam takie same interesy jak inni ludzie i muszę ich pilnować, nawet kiedy to jest bardzo trudne albo interesy innych ludzi wydają mi się ważniejsze. – Jezusek przymknął oczy, jakby chciał jeszcze wyraźniej zobaczyć to swoje prawo do własnego dobra. Z czajnika zaczęła unosić się para. – Ale niech pani sama powie! Kuzyn miał żonę i dziecko w drodze, całą rodzinę, a ja po Marii byłem sam. Mieszkanie dwupokojowe, mieszkałem w nim z babcią, odkąd dostała wylewu. Uzgodniliśmy, że mieszkanie przejdzie na mnie, ale kuzyn dostał pracę w naszym mieście i musiał się przeprowadzić. Miałem mieszkać w dwóch pokojach sam, podczas gdy on z rodziną gnieździłby się w jakiejś klitce? Tak, oczywiście, tak właśnie powinienem zrobić: mieszkać w dwóch pokojach, teraz to rozumiem. Oddaję wszystko: oddałem Marię, mieszkanie, a teraz, zdaje się, oddałem posadę. To dla mnie bardzo charakterystyczne. Pomyślałem, że samotnemu zawsze łatwiej znaleźć jakiś kąt. Zresztą mieszkanie było jakby stworzone dla rodziny z dzieckiem, na pierwszym piętrze, a zaraz obok jest przedszkole i przychodnia zdrowia, duży park. Ja z tego w ogóle nie korzystałem, nigdy nie chodziłem do parku. Widziałem, jak spacerują matki z dziećmi, była tam taka duża ocieniona polana z placem zabaw. Aż żal, żeby to wszystko się zmarnowało dla kogoś, kto został bez Marii. Gdybym chociaż chodził tam na spacery... Ale ja w ogóle mało wychodzę z domu, trochę boję się ludzi. Podobno wymierzam tym sobie karę za Marię.

Jezusek napełnił wrzątkiem z czajnika mój kubek i jeszcze kilka stojących na kuchennym blacie. Dla niego nie starczyło wody, więc został przy piecyku, a ja wzięłam herbatę i poszłam pooglądać telewizję.

Po brakujące części mojego męża chodziłam do pokoju weteranów, na koniec korytarza. Była to duża sala mieszcząca w razie potrzeby nawet dziesięć łóżek, z wielką szafą, na której żołnierze chowali otwieracz do okien. Okna były pozbawione klamek i otwieracz należałby z pewnością do przedmiotów zakazanych, takich jak nożyczki, cążki do paznokci, żyletki i metalowe sztućce, gdyby komuś przyszło do głowy umieścić go na takiej liście. Ale podobna lista zawsze byłaby niepełna, ponieważ potrafiliśmy zdobyć na miejscu lub przemycić z zewnątrz wszystko, co nam było potrzebne. W pewnym okresie weterani mieli nawet prodiż i dopóki pani Stasia nie powiedziała o tym siostrze oddziałowej, w sobotnie popołudnia piekli w nim kurczaki.

Nikt nie pamiętał, kto zdobył klamkę, przechodziła na własność kolejnej zmiany i żołnierze pożyczali ją tylko najbardziej zaufanym cywilom. Upłynęły tygodnie, zanim pożyczyli ją mnie, właśnie przez te nocne eskapady. Klamka też odgrywała pewną rolę w naszych stosunkach – przez pierwsze tygodnie weterani sądzili, że przychodzę po nią, przyznałam się Białemu, że nie potrafię zasnąć przy zamkniętym oknie.

– To masz przejebane – powiedział Biały, kiedy zwierzyłam mu się ze swojego problemu.

Staliśmy w jadalni będącej równocześnie świetlicą i czekaliśmy, aż woda się zagotuje. Uznałam, że zbliża to nas na tyle, by pomówić otwarcie.

– Będziesz się musiała, ciotka, nauczyć. – Biały popatrzył na mnie bladymi, chłodnymi oczami. – Wszyscy się nauczyliśmy, no nie, panowie czuby pierdolone?

Była to dla mnie pierwsza, bardzo skuteczna lekcja i wzięłam ją sobie mocno do serca. Znacznie później dowiedziałam się, że personel często urządza naloty kontrolne i choć bywają okresy, kiedy weterani nie mają w sali innych zakazanych towarów, otwieracz do okien jest tam zawsze. Moje nocne wyprawy jeszcze wzmagały ich czujność i nieufność, choć i tak budziło ich byle co.

Podchodziłam bardzo wolno, rozpoznając w ciemności zarys łóżek, i wybierałam to, które wydawało mi się najpełniejsze. Teraz po roku zażywania leków nie potrafię już powiedzieć, czym była ta poszukiwana przeze mnie pełnia, ale wtedy wyczuwałam ją od razu, soczystą i gęstą, niezwiązaną z trwałym kalectwem. Z wyjątkiem Marka, któremu amputowano nogi, weterani byli cali w sensie fizycznym, a jednak nie w każdym widziałam swojego dawcę. Z pewnością nie nadawał się Marek ani Adam, strzelec pokładowy, i nawet skradając się w koszuli nocnej przez salę męską, wiedziałam, że cokolwiek zrobię, nie wolno mi ich obudzić. Nigdy też nie próbowałam podejść do łóżka stojącego najbliżej drzwi, choć patrząc na nie, prawie czułam w rękach to, po co przyszłam. Nawet w stanie takiego zdeterminowania pamiętałam, kto na nim leży.

Saper budził się prawie od razu i mówił, żebym sobie poszła, to nie jest miejsce dla mnie. Trudno mu było zasnąć nawet po podwójnej dawce psychotropów. Cierpiał na bezsenność od czasu, gdy zajrzał pod przełaz na afgańskiej drodze i półtora metra od swojej twarzy zobaczył kabel wychodzący z wiadra pełnego trotylu. Było to trzy lata temu.

– Odejdź, ciotka. I nie ma tu żadnej pierdolonej klamki. Znowu ci się, kurwa, coś pokręciło.

Mówiłam, że nie chcę klamki, i podchodziłam jeszcze bliżej pchana nieznaną, niszczycielską siłą. Już wiedziałam, że tej nocy nic nie wskóram, było dwie po wpół do trzeciej, miałam to napisane na koszuli nocnej. O takiej godzinie Saper się rozbudzał, a ja wychodziłam bez tego, czego brakowało mojemu mężowi, ręki, nogi, czasem jakiegoś organu wewnętrznego. Jednak coś pchało mnie naprzód i mijałam łóżko Sapera, udając, że to wcale nie jest ta ostateczna dla mnie godzina, mam jeszcze trochę czasu. Powoli jednak przytomniałam i docierało do mnie, co robię, i że weterani nie mogą się dowiedzieć, po co naprawdę przyszłam. Jeżeli się tego dowiedzą, nie dadzą mi żyć. Lekarz odstawi mnie z powrotem na oddział zamknięty, nie wytłumaczę się z tych części dla męża. Do tego nie mogłam dopuścić, pytałam Sapera, czy nie pożyczyłby na chwilę klamki.

Saper siadał na łóżku całkowicie rozbudzony.

– Kto ci powiedział, że tu jest?

Bałam się tego, co robię, ale jeszcze bardziej bałam się, że weterani zaraz odkryją prawdę. Co mi wtedy zrobią? Czułam, że ta prawda istnieje już poza mną, ją też mam wypisaną na koszuli nocnej, naprawdę wystarczy tylko spojrzeć. I naprawdę nie mogłam pogodzić się z tą pustką, która była w moim mężu, musiałam ją wypełnić tym, co znajdowało się w sali męskiej. Marek spoglądał na mnie ze swojego miejsca pod oknem, on nigdy nie próbował mi przeszkodzić, jakby mnie rozumiał – on jeden wiedział, jak bardzo potrzebuję tego, po co przychodzę. Nigdy nie szukałam części w sali dla kobiet, choć miałam ją znacznie bliżej, za ścianą. Czasem nie wiedziałam nawet, czego mi trzeba, ręki, organu wewnętrznego, przytomniałam i mówiłam: Wezmę na chwilę klamkę.

Byłam już zupełnie przytomna, trzeźwo oceniałam swoje położenie. Cholera – myślałam. – Znowu pobudziłam weteranów, mam na sobie zapisaną koszulę nocną.

– Niech, kurwa, powie, skąd to wie. – Białego aż podrywało z łóżka, jego bałam się najbardziej. – Dopadnę tego, kto jej o tym powiedział, nogi mu z tyłka powyrywam.

Zbierałam się już do odejścia. Gdzieś w oddali słychać było szybkie, zdecydowane kroki, ale Adam ciągle spał i pomyślałam, że może tym razem go nie obudzę, już tylko na tym mi zależało. Proszę, tylko nie obudźcie Adama... – modliłam się, w myśli uciszając krzyki Białego. Adama usypiał Lekarz osobno, prawie za każdym razem inaczej, co noc próbując zmylić tego demona, którego Adam miał w głowie. Obudzenie Adama było czymś naprawdę podłym.

– Dajcie jej tę klamkę...

– Tknie klamkę, łapy powyrywam u samego tyłka.

Adam otwierał oczy, tak to pamiętam, w jego oczach strach pojawiał się niemal jednocześnie ze świadomością, i już żałowałam, że tu przyszłam, w sumie nie potrzebowałam tych części aż tak bardzo, mój mąż mógł jeszcze poczekać. Jest mi tak strasznie przykro, tak strasznie przykro. Nie chciałam go obudzić, naprawdę nie chciałam...

– Żadnej klamki nie ma. – Nawet w półmroku widziałam głowę Białego. – Wara od otwieracza.

– Obudziła, kurwa, Adama...

Adamowego demona wyobrażałam sobie na różne sposoby. Adam prawie nic nie mówił i nikt nie wiedział, co mu się przytrafiło podczas misji. Terapeutka też nie mogła tego znieść, po kilku tygodniach obie byłyśmy zupełnie wyczerpane. Omawialiśmy w kręgu cele terapeutyczne na kolejny tydzień. Każdy z nas miał powiedzieć, co chce osiągnąć w ciągu najbliższych dni. Zazwyczaj mówiłam, że mam kłopoty z nazywaniem uczuć, chcę się bardziej otworzyć przed grupą, choć częściowo uwolnić emocje. Podczas tematu wolnego spróbuję nawiązać do moich przeżyć wojennych, do pierwszego okresu małżeństwa, kiedy praca mojego męża, korespondenta wojennego...

Po mnie przychodziła kolej Adama.

– Panie Adamie?

Adam patrzył na nas spokojnie z lekko odchyloną do tyłu głową. Na dźwięk swojego imienia przybierał inny wyraz twarzy, jakby większego oddalenia i niepokoju. Wiedział, co chce zrobić ta piękna, spokojna blondynka. Chciała dobrać się do niego tym łagodnym, niezmiennym głosem, dobrać się do tego, co zrobił na wojnie, i jakoś to w nim przetworzyć. Mówiła, że bez jego pomocy może operować w granicach pięciu, dziesięciu procent jego cierpienia. Jeżeli trochę jej pomoże, odbierze mu go więcej, czterdzieści, powiedzmy, pięćdziesiąt procent. *Pięćdziesiąt procent, panie Adamie! Mogę zwiększyć panu komfort odczuwania o połowę, proszę to sobie przemyśleć.*

Ale problem polegał na tym, że Adam nie chciał majstrować przy tym, co przeżył na wojnie, nie chciał niczego oddawać ani mnie, ani pięknej blondynce. Blondynka miała własny plan – nie umiała przejść obok cierpienia obojętnie, walczyła z cierpieniem zawodowo. Była twarda jak stal i nigdy nie odpuszczała.

– Panie Adamie?

Czasem próbowałam ustalić, kogo widzi Adam, patrząc przed siebie tym dziwnym, prawie zupełnie pustym wzrokiem. Myślałam nawet, że to może mi przynieść ulgę, przerwie ciszę albo w jakiś sposób zmusi Adama do mówienia. I żeby to nie były słowa: „W tym tygodniu chcę spróbować wyjść na ulicę, może nawet dojść do Biedronki". Weterani często stawiali sobie taki cel, ale zwykle nie potrafili osiągnąć go w pojedynkę. Umawiali się na takie wyjścia, wychodzili grupkami, osłaniając się wzajemnie. Droga nie była dla nich łatwa, prowadziła między ogródkami działkowymi przez dużą, otwartą przestrzeń, a potem zatłoczonymi uliczkami. I jedno, i drugie stanowiło zagrożenie. Po kilku tygodniach prób zwykle potrafili dojść do targowiska na głównym placu dzielnicy, odległym od szpitala o kilkaset metrów. Przez piętnaście tygodni, jakie spędziłam w klinice, nie poznałam nikogo, kto wszedłby między targowe budy. Strzelec pokładowy Chętny przyniósł sznur do wieszania bielizny na dowód, że był na targu, ale przyznał, że kupił go w zewnętrznym kręgu straganów.

– Panie Adamie, co pan może dla siebie zrobić przez te następne dni?

Adam milczał, w ciszy na parapet okienny zlatywały ptaki zwabione naszym bezruchem. Jezusek wydawał się nieobecny. Z lekko zmarszczonym czołem przyglądał się czemuś nad głową Adama, może tym nadlatującym krukom. Obok niego siedziała Zofia, skupiona i czujna, gotująca się nieustannie na przyjście oprawcy, siwiejącego, spokojnego pana w okularach, który czasem zajeżdżał na parking kliniki, wysiadał z mercedesa i stał kilka godzin przed głównymi drzwiami.

– Czy pan wymierza sobie karę?

Adam patrzył prosto przed siebie, w porównaniu z nim Zofia siedząca naprzeciwko wydawała się zupełnie spokojna, wyglądała jak typowa kobieta w średnim wieku czekająca na siwiejącego pana w okularach, trochę tylko nieobecna myślami.

– Moim celem na ten tydzień – mówił Adam, a ja zaciskałam mocno powieki i powtarzałam w myślach: Tylko nie na ulicę, nie na ulicę... – jest wyjść na ulicę. Może nawet dojść do Biedronki.

– Ale już nie uważa, że ma trzynaście lat? – zapytałam Białego po zajęciach.

– Ma trzydzieści pięć – powiedział Biały. – Żona go tu przywiozła, kiedy się taki rano obudził. Ale teraz już wie, że ma trzydzieści pięć.

Z Białym obchodziłam się bardzo ostrożnie, starając się w naszych kontaktach jak najbardziej ograniczyć własną obecność. Byliśmy na tym etapie zażyłości, kiedy weterani uczyli mnie otwierać okno trzonkiem łyżeczki do herbaty, a ja bez szkody dla siebie mogłam zadać im krótkie, mało osobiste pytanie. Z Białym było ciągle trochę inaczej i czułam się przy nim jak początkujący saper, który ma do czynienia ze swoją pierwszą miną. Dopóki to było możliwe, starałam się w ogóle nie wywoływać w nim żadnej reakcji, zdając sobie sprawę, że przy każdym niewprawnym dotknięciu Biały wybuchnie mi w twarz, rozrywając na części wszystko wokół. O Białym tak naprawdę nie wiedziałam nic.

Przyszedł opowiedzieć mi, że pani Stasia znowu wyjadła komuś kiełbasę, musiała to zrobić w nocy. Potem przez jakiś czas siedział na moim łóżku i opowiadał mi o swoim pobycie w Afganistanie, ale nie odrywał wzroku od pani Stasi.

– A potem się dziwią, że, kurwa, wracam do domu i nie mogę się dogadać z żoną albo że dzieci się mnie boją. Boją się jak cholera! Bo jak tatusiowi odbije, to tatuś w ogóle siebie, kurwa, nie przypomina. A tatuś siebie nie przypomina, bo srał przez pół roku do beczki! Tatuś robi dziwne rzeczy, pierdyknie czymś o ścianę albo wstaje od stołu przy kolacji, wychodzi i nie ma go trzy dni. Ale tatuś zrobi tak, żeby się naprostować, choćby miał przy tym, kurwa, skonać.

– Zniknąłeś na trzy dni?

– A jak! A jak! – powiedział z roztargnieniem, przyglądając się pani Stasi, która stała przy swoim łóżku. Patrzyła wprost przed siebie, ale musiała czuć na sobie zgłodniały, chciwy wzrok Białego.

– Piłeś przez trzy dni?

– Ciotka, piłem przez trzy tygodnie! Moja była jest wredna, próbuje mi odebrać prawa do tych dzieci, a to są moje dzieci, Rudy i Mała. Nie wiem, co bym bez nich zrobił. Nie oddam ich, kurwa, choćbym miał tu przyjechać jeszcze sześć razy i gadać z Blondyną w kółko o tym samym, z bebechów to sobie wywlokę. Zgodzę się na wszystko. Siedzieliśmy na łóżku, nie wiedziałam, o co jeszcze pytać.

– Kto ci powiedział o klamce? – zapytał Biały.

Karolinka, kiedy już zaczęła mówić, w swoim trzydziestym, może czterdziestym tygodniu, twierdziła, że jest aniołem, wie to od mamy. Mama jej o tym powiedziała, kiedy Karolinka skończyła dwanaście lat i po raz pierwszy poszła do szpitala psychiatrycznego. Było to dawno temu.

– Jestem aniołem – powiedziała któregoś dnia, kiedy siedziałyśmy z Julią przy oknie, patrząc, jak nad wodą zbiera się świt. Rozpoczynałyśmy tego dnia dyżur w kuchni i Julia chciała być gotowa bardzo wcześnie, już o północy.

– Dlatego nie wracam do domu – wyjaśniła Karolinka rzeczowym tonem. – Anioły nie wracają do swoich domów.

– Są potrzebne gdzie indziej – potwierdziła Julia. Karolinka lubiła, kiedy potwierdzałyśmy jej słowa. Ostrożnym ruchem odgarniała wtedy płowe puszyste włosy, jakby chciała być jak najbardziej schludna albo najładniejsza, w tych momentach kiedy utwierdzała się w przekonaniu o swym pochodzeniu, miała na pewno więcej niż dwanaście lat. W kąciku jej ust pojawiał się uśmieszek zadowolenia. Delikatnym ruchem głowy przytaknęła słowom Julii.

– Jestem potrzebna gdzie indziej, dlatego nigdy nie wracam do domu. – Cieszyła się tym zdaniem jakiś czas, drżąc na całym ciele jak napięta struna, prawie zupełnie szczęśliwa.

Nie wiem, czy Karolinka miała kogoś bliskiego, ale nie była zupełnie pozbawiona rodziny. Jej siostra pracowała na dwóch etatach i była samotną matką, ale przychodziła do Karolinki co trzeci dzień, żeby umyć jej włosy – jako anioł Karolinka nie uznawała wypróżniania się, a także mycia i jedzenia. Chyba więc nie można powiedzieć, że była porzucona, nawet jeżeli nie wracała ze szpitala do domu na stałe. Po wypisie przebywała w domu kilka dni albo od razu jechała do innego szpitala.

Karolina chyba nie lubiła wizyt siostry, choć często o nich mówiła. Uważała, że mycie włosów jest jeszcze bardziej niebezpieczne niż jedzenie i ruch, i starała się tego unikać. Była pewna, że ta wielka siła wywołująca rozwój najłatwiej zawładnie nią w łazience i nie należy tam chodzić. Kiedy zabierała ją tam siostra, krzyki Karoliny dobiegały aż na korytarz. Karolina w chwilach niebezpiecznych używała słów, których się nauczyła na oddziale. „Ty kurwo jebana! – krzyczała. – Zabieraj ten szampon! Spierdalaj z tym, głąbie!" Była na oddziale bardzo długo, Julia powiedziała, że była tu już, kiedy przyszła ona, a przecież ona przyszła wczesną wiosną.

– Anioły tak mają – powiedziała Karolinka tego dnia, kiedy patrzyłyśmy na rzekę o świcie, czekając, aż przywiozą wózek ze śniadaniem. – Nie należy ich niepokoić. Lekarz powiedział, że nie należy mnie niepokoić.

Lekarz przychodził do Karolinki w czwartki.

– I co tam słychać, pani Karolino? – pytał. – Coś mi pani dzisiaj powie, prawda?

– Dobrze – zgadzała się Karolinka łagodnym, pocieszającym tonem.

Jemu przede wszystkim nie chciała zrobić przykrości. W tych momentach łączyła ich silna nić porozumienia.

Karolina pokazywała mu książeczkę z obrazkami, a Lekarz patrzył wprost na nią nieruchomym, trochę tęsknym wzrokiem. Karolinka nie odwzajemniała spojrzenia, ale była całkowicie obecna, nawet w tych dniach buntu, kiedy nie leżała bez ruchu, lecz szła pod drzwi łazienki i z całej siły uderzała otwartą dłonią w szybę, w szaleńczym akcie odwagi próbując zniszczyć to, co było w środku. Jej drobne, gibkie ciało baletnicy, o wąskich, nierozwiniętych biodrach, aż drętwiało z nienawiści, a wychudzona szyja bez trudu utrzymywała rozchwianą głowę.

– No dobrze – mówił Lekarz. – Zobaczymy, co będzie dalej. Zobaczymy?

Po tym jak przeniesiono nas do sali numer pięć, miałam bardzo blisko do weteranów. Słyszałam prawie wszystko, co mówili, wieczorami lepiej też wyczuwałam rzekę, w te noce, kiedy czułam ją pod podłogą, z reguły chodziłam po części. Nocami w takiej ciszy słychać było nie tylko to, co płynęło głównym korytem ujęte w pasma tataraku: słychać było wszystkie podziemne dopływy, grube żyły i zupełnie cienkie żyłki, taki układ krwionośny pod podłogą, nocne gadanie. Nie był to właściwie dźwięk, lecz rodzaj wspomnienia. Albo obietnicy. Jeżeli leżałam zupełnie spokojnie, przy bezwietrznej pogodzie mogłam sobie nawet przypomnieć, po co tutaj jestem. Jakby ta woda spływająca pod domem zbierała wszystkie zanieczyszczenia, zwidy i niepotrzebne tęsknoty. Julia twierdziła, że gdybym brała leki, nie miałabym takich problemów. Dlaczego nie biorę leków?

Stała przed umywalką z lustrem, bardzo powoli wyciągała spod chustki kosmyk wypadających włosów. Mówiła, że to wcale nie jest przykre, kojarzy się jej z dzieciństwem, ale nie potrafi powiedzieć z czym konkretnie. Możliwe, że z taką małą lalką w różowej sukience – któregoś lata wyczesała jej włosy do gołej skóry. Wiedziała, że nie wolno tego robić, mama uprzedziła ją, że lalka straci włosy, jeżeli będzie ją czesać, bo ma je tylko przyklejone do głowy. Ale Julia zawsze marzyła o lalce do czesania i całe lato wyczesywała tę lalkę w różowej sukience. Włosy wychodziły tak samo jak teraz jej własne, małymi pasemkami, stawiając niewielki opór. Lalkę ukryła Julia w ogrodzie, pod krzakami agrestu, ale nie było to traumatyczne przeżycie, miała bardzo szczęśliwe dzieciństwo. „W ogóle mam bardzo szczęśliwe życie" – powiedziała. Zawsze świetnie się jej pracuje, znajduje w pracy spełnienie.

– Dlaczego nie bierzesz leków? – spytała. – To nie jest takie straszne. – Mówiła to zachęcającym tonem, opuszkami palców szukając pod chustką nowego słabego miejsca. – Włosy wychodzą po psychotropach, ale zawsze odrastają. Boisz się, że jak zaczniesz brać, nie zdołasz pomóc mężowi, tak? Ty będziesz brała leki, a wtedy on zostanie w kawałkach, nikt go nie pozbiera?

Był wrzesień, Julia dopiero rozpoczynała swój marsz ku jesieni, ja wyciągałam pudełko po herbacie, w którym trzymałam niezażyte psychotropy. Nie wyrzucałam ich na bieżąco, jakbym mimo wszystko nie mogła rozstać się z nadzieją, jaką dawały. Julia spoglądała mi przez ramię.

– Wiesz, że za to się wylatuje? Wywalili mnie w czasie drugiej hospitalizacji. Włosy zaczęły mi wychodzić i chowałam tabletki w pudełku po kremie. Byłam wtedy PR-owcem w wielkim domu wydawniczym i nie mogłam sobie pozwolić na utratę włosów. Ale i ona ulegała temu czarowi, jaki miała zawartość puszki – dobroczynna, a zarazem niszczycielska.

– Myślisz, że ja to wszystko łyknęłam? – pytała z podziwem, jakby zdumiewała ją własna siła i odporność.

Dokładałam do puszki wieczorną dawkę tabletek i jeszcze przez chwilę zaglądałyśmy do wnętrza, sprawdzając, jak teraz wygląda ta śmiercionośna i uzdrawiająca zawartość, i szłyśmy spać.

Śpiąc, szłam polną drogą w Afryce. Gdybym zjadła to, co było w puszce, już pewnie nigdy nie zobaczyłabym takiej ognistej, gorącej ziemi, pomarańczowej po deszczu. „Spójrz – mówił ktoś idący za moimi plecami – w kępach akacji droga ześlizguje się w dół, a ptaki lgną do niej, dopóki nie zblaknie, rozpoznają ją tylko po deszczu". Idę wśród ptaków rozdziobujących piękną czerwoną drogę, szukam wśród nich części mojego męża. Ale nie wszystkie udaje mi się zebrać. Mimo że na końcu znajduję telefon komórkowy, wiem, że to o niczym nie świadczy. Widzę to wyraźnie, gdy siedzimy przy kawiarnianym stoliku, mój mąż mówi, że ma wszystko. Ale zawsze czegoś brakuje, ręki, nogi, czasem organu wewnętrznego, on jeszcze nie zdaje sobie z tego sprawy.

Julia lubiła, gdy opowiadałam o Afryce. Leżąc w łóżku – budziły ją moje powroty z sali weteranów – podpierała głowę na dłoni i pytała, gdzie jeszcze byłam w Afryce. Może w Senegalu? Byłam w Senegalu?

Tego dnia kiedy wróciłam od Białego, też na mnie czekała. Byłam zdenerwowana, ponieważ naraziłam się Białemu.

Obudził się i powiedział, co mi zrobi rano, jak mnie spotka. Skręci mi ten chudy, kurzy kark, urwie głowę, nasika do środka, a łeb wsadzi do zmywarki. Miałam akurat dyżur w kuchni.

– Wiesz, że tam chodzisz? – zapytała Julia.

Powiedziałam, że wiem, ale w chwili gdy to robię, jestem pewna, że muszę, bo naprawdę potrzebuję tych części. Kiedy przytomnieję, jest już za późno. Usiadłam ciężko na łóżku i dopiero wtedy uderzyło mnie, że Julia nie szykuje się do pogawędki o Afryce, siedzi oparta plecami o ścianę i obejmuje ramionami kolana w jakimś niemiłym oczekiwaniu. Rzuciła mi tylko przelotne, nieobecne spojrzenie i ruchem brody wskazała nasze czwarte łóżko.

Nigdy przedtem nie widziałam ataku lękowego Karolinki. Zwykle leżała spokojnie albo sięgała po kubek z kompotem, nie było z nią kłopotu. Teraz leżała sztywno na kołdrze w zielone krasnoludki, z palcami u nóg ściągniętymi jak u baletnicy, z dłońmi wykręconymi do środka. Karolinka udawała, że jej nie widać, nie można jej posądzić o żadną formę istnienia. Zajmowała coraz mniej miejsca na łóżku, jakby próbowała zniknąć nam z oczu.

– Myślisz, że powinnyśmy zgasić światło?

Julia odpowiedziała, że po zgaszeniu światła jest gorzej: Karolinka przestaje oddychać. Boi się, że w ciemnościach oddech ją demaskuje. Trzeba wezwać pielęgniarkę.

Nie rozumiałam, co się stało. Wieczorem Karolinka poszła grzecznie spać, nie było żadnych symptomów.

– Przykryłaś ją? – zapytałam.

Julia odparła, że tak, zrobiła to, jak tylko wyszłam do Białego. Wyciągnęła kołdrę spod Karolinki i nakryła ją, ale zrobiła to naprawdę ostrożnie, Karolinka nic nie poczuła. Naprawdę ostrożnie.

Skuliłyśmy się z Julią na jednym łóżku, czekając na pielęgniarkę. Julia miała kłopoty z ułożeniem włosów, ale chciała, żebym była blisko – ataków Karolinki obawiała się bardziej niż tego, że jestem tuż obok.

– Czego ona się tak boi? – zapytałam.

Julia wzruszyła ramionami.

– Coś ją obserwuje. Wielkie Kosmiczne Oko. Jest wyczulone na ruch. Jak się nie ruszasz, nie widzi cię. Cały czas cię sprawdza, nieustannie poddaje cię ocenie. Taka duża kamera, jest z tobą na stałe.

– Też tak masz?

– Czy czuję, że jestem nieustannie oceniana?

– Tak.

– Nawet gdy jestem w tłumie i nikogo nie znam? Albo kiedy prowadzę samochód i nie widać mnie z zewnątrz? Nie, tak to nie.

Julia urwała i przez chwilę dłubała we włosach jakby z pewnym roztargnieniem. „PR-owiec musi odpowiednio wyglądać" – powiedziała. Jej atutem zawsze był wygląd. A także to, że znała perfekt trzy języki obce. I z każdym rokiem była lepsza, nieustannie się dokształcała, nigdy nie bała się, że jest oceniana.

Karolince żyły wystąpiły na szyi, a szczękościsk zupełnie zmienił jej delikatne rysy, jakby przenosząc je na jedną stronę twarzy.

– A jeżeli pielęgniarka nie przyjdzie? – zapytała Julia z lękiem. – Ona umrze.

– Zaraz przyjdzie – powiedziałam. – Już idzie.

Pani Stasia obudziła się i spojrzała na zegarek.

– Zostały mi jeszcze dwie godziny do śniadania – powiedziała. Wyjęła z szuflady nocnego stolika bułkę z parówką i zaczęła jeść.

Wyszłam z łóżka.

– Pani Stasiu, skąd pani ma tę parówkę? – zapytałam drżącym głosem, bo mi się przypomniało, że wieczorem nie mogłam się doliczyć kolacyjnych porcji, a jako dyżurna byłam za to odpowiedzialna.

Ratownik walił deską do chleba w parapet kuchenny i mówił, co zrobi dyżurnemu, jak nie dostanie wszystkiego, co mu się należy według jadłospisu. „Wjebię mu tę pierdoloną rozpiskę w gardło tak głęboko, że wyjdzie parówka".

– Skąd pani ma tę parówkę?! – powtórzyłam podniesionym głosem.

Pani Stasia odwróciła się ode mnie ruchem oznaczającym jednocześnie pogardę i całkowity brak zainteresowania.

– Była w pojemniku – powiedziała z pełnymi ustami i odwróciła się jeszcze bardziej ku oknu.

– W jakim pojemniku!? – krzyknęłam.

Julia wyszła z łóżka i stanęła za moimi plecami. Czułam na karku jej przyzwalający, ponaglający oddech.

– Jak jestem głodna, to jem. Kto pierwszy, ten lepszy.

– Wcale nie! – krzyknęłam. – To, co jest w pojemniku, jest dla wszystkich. Dla wszystkich! Czy pani nie rozumie, co pani zrobiła?

Przyszła pielęgniarka i zrobiła Karolince zastrzyk rozkurczowy. Pani Stasia powiedziała, że do śniadania zostało jej jeszcze półtorej godziny, i poszła spać.

Siedziałyśmy z Julią na łóżku, całe we włosach, które wyszły tej nocy. Julia opowiadała mi, jakie cechy powinien mieć dobry PR-owiec. Musi mieć świetne rozeznanie rynku, znać podstawy marketingu i psychologii, a także zdolności interpersonalne. I instynkt, musi mieć ducha walki. Miała wszystkie te umiejętności, gdy pracowała w wielkim domu wydawniczym, to były szczytowe lata jej kariery, jej najlepsze lata. To dzięki niej dom osiągnął taką pozycję na rynku, teraz już nikt o tym nie pamięta. Kiedy przyszła do pracy, było to niszowe wydawnictwo. Po trzech latach zrobiła z niego potentata, miała taką siłę przebicia, była jak lokomotywa. Wykosiła całą konkurencję i muszę wiedzieć, że to była prawdziwa dająca satysfakcję walka, w której o zwycięstwie decyduje każda decyzja, każda umiejętność i każda przepracowana godzina. Walka bez pardonu.

– Nie wyglądam na to, prawda? – zapytała z pewną dumą, jakby odkrywała przede mną swój ostatni atut dobrego PR-owca. Pracowała do ostatniego dnia ciąży, mąż woził ją do biura, bo nie mieściła się za kierownicą. Miała wyznaczony termin porodu i pojechała do szpitala prosto z biura. Nie pamięta, by coś w życiu dało jej taką satysfakcję jak pozostawienie rywala daleko za plecami, kiedy biegła w czołówce z poczuciem, że ma jeszcze duży zapas sił.

Wyciągnęła spod chustki kolejne pasmo i zapytała, czy znam to uczucie. Że mogę być jeszcze lepsza, właściwie muszę być coraz lepsza, żeby nie zmarnować czegoś istotnego.

Powiedziałam, że nie, taki obraz budzi we mnie więcej przestrachu niż zachwytu, bałabym się takiego życia.

– Więc masz dziecko? – Zdziwiłam się, bo dotąd nie było o tym mowy. – I męża? – Wyobrażałam sobie, że jest samotna. Nigdy nie wspomniała o rodzinie.

– Czy mam dziecko? Tak, oczywiście. Urodziłam je ostatniego dnia pracy w domu wydawniczym.

– Ale chyba nie dlatego tu jesteś? – zapytałam ostrożnie. – Mnóstwo kobiet rodzi dzieci.

– Oczywiście, że nie – powiedziała Julia. – To było wiele lat temu. Już dawno o tym zapomniałam.

W pokoju pojaśniało i patrzyłyśmy, jak pani Stasia śpi, w takiej pozycji jak zawsze, odwrócona na prawy bok, z ręką pod głową. Światło dnia powoli ogarniało jej postać w różowej koszuli. Siedziałyśmy skulone na łóżku, bojąc się odwrócić od niej wzrok.

– Myślisz, że od czego ona taka jest? – zapytała Julia z lękiem.

Pomyślałam, że może od tego, że przez dwadzieścia lat siedziała sama w domu, ale w gruncie rzeczy nie miałam pojęcia.

Zastrzyk zaczął działać i Karolinka powiedziała, że jest już dobrze, jest aniołem. Obie przytaknęłyśmy. Tak było o wiele lepiej.

– Jestem aniołem.

– Jestem coraz lepsza – powiedziała Julia.

Dostałam od weteranów trzy dni na to, żeby się pozbierać, ogólnie uporządkować i przestać chodzić po części. Biały próbował mi wytłumaczyć, dlaczego nie leży to w moim interesie.

– Po co ci one? Twojemu staremu to nie pomoże, nawet jeżeli czegoś mu brakuje, a my tego nie wytrzymamy. Ludzie już się boją chodzić spać, budzisz nas i pytasz o ręce, nogi, to nas, kurwa, wytrąca z równowagi. I bez takich akcji co rano sprawdzam, czy mam wszystko. A ty przychodzisz, wywołujesz panikę. Uruchomiłaś Mazura, znów pokazuje te wnętrzności. Weź się, ciotka, w garść albo będzie trzeba coś z tobą zrobić.

Nocami Mazur wyciągał rannego ze zmiażdżonego wozu pancernego, wokół już gromadziły się koty, Mazur pytał, czy na pewno zebrał wszystko. Biały twierdził, że to moja wina. Odkąd zaczęłam te nocne hece, Mazur czuje się znacznie gorzej, myśli, że wokół cuchnącego rosomaka gromadzą się koty, nie zdoła ich wszystkich upilnować, te koty są bardzo sprytne i jedzą ludzkie mięso.

– Było już bardzo dobrze i w ogóle. A potem cię licho przyniosło. Ludzie się ledwo kupy trzymają, a ty: „ręce, nogi, ręce, nogi”. Leki bierzesz?

Powiedziałam, że tak, leki biorę. Ale nie brałam. Nie byłam jeszcze zdecydowana, jaką rzeczywistość wybrać: tę, w której wciąż na nowo zbieram części mojego męża i zapewniam mu przetrwanie, czy tę, w której zażywam leki i w ogóle nie dostrzegam grożącego mu niebezpieczeństwa. Jeszcze nie potrafiłam podjąć takiego ryzyka.

Tydzień później obudziłam się na środku sali męskiej i od razu jasno oceniłam sytuację – nie pozbierałam się, trzeba będzie coś ze mną zrobić. I zobaczyłam siebie i Dzięcioła, jak stoimy pod szklaną ścianą oddziału zamkniętego, nie mając dość sił, żeby wydostać się stamtąd po raz drugi. Może więc tak wyglądało moje przeznaczenie, może tak.

– Tylko nie na niebieską. – Ratownik płakał, kiedy Biały z Saperem wyprowadzali mnie z sali na korytarz. – Nie oddawajcie mnie na niebieską...

– Wszystko przez te sny – powiedziałam rano w jadalni, już po śniadaniu. Stałam przy oknie wychodzącym na kort tenisowy i drzewa, trochę pochlipywałam. Jeszcze szukałam jakiegoś wyjścia, szansy pozostania po czerwonej stronie. – I przez to, że nie mam tu żadnego zajęcia. Nie mogę czytać... – Ocierałam oczy ściereczką do naczyń. – Gdybym mogła się czymś zająć, spałabym spokojnie, zawsze tak było. Dopóki pracowałam, w ogóle nie miałam takich problemów. – To była prawda, moje kłopoty zaczęły się, gdy przestałam pracować. Mówiłam i mówiłam, układając ściereczkę w coraz to nowe kwadraty. Wiedziałam, że jak przestanę mówić, ktoś z nich pójdzie do dyżurki i powie, co robię w nocy, i po piętnastu minutach będę u Dzięcioła. – Opisywałam takie straszne historie i bardzo dobrze potem spałam. Wtedy mąż był zawsze cały, nigdy nie śnił mi się w częściach. Po prostu muszę normalnie pracować, muszę pisać. Od dawna nie pracuję, im straszniejsza historia, tym lepiej. – Wydmuchałam nos w ścierkę.

– Niech zmywa gary – powiedział Ratownik.

– Trzeba ją czymś zająć, żeby nie latała po nocach. Niech coś robi. Dzisiaj chciała ode mnie wątrobę, omal się nie obsrałem ze strachu.

– Co umiesz robić? – zapytał Biały.

Odparłam, że trudno powiedzieć. Potrafiłam dobrze zmywać, ale to zajmowało jedynie ręce. Od dawna nie umiałam pisać.

– Niech pisze – powiedział szeregowy Mazur.

– Mówi, kurwa, że nie umie. Jeszcze raz mnie spyta, gdzie mam wątrobę, to jej przypierdolę. Budzi mnie i pyta, gdzie wątroba. Pomyślałem, kurwa, trafili mnie!

– Im straszniejsze rzeczy piszę, tym spokojniej śpię – powiedziałam. Wielkie kruki obsiadały latarnię pod oknem zwabione moją obecnością, tym, co mówiłam. Takie czarne wielkie ptaki miałam zawsze w głowie, zlatywały się, gdy chciałam pisać. Nie umiałam już pisać, zapomniałam, jak to się robi.

– Ma przejebane – powiedział Ratownik.

– Nie wie, co pisać, wraca na niebieską.

Teraz któryś z nich powinien odwrócić się i wyjść z jadalni, przejść korytarzem do szklanej ściany i wcisnąć guzik uruchamiający brzęczyk w dyżurce, już pod okiem kamery. W zapadłym nagle milczeniu uwijały się ptaki, wszystkie lęki, które przyprowadziłam ze sobą z niebieskiej, myślę, że one chciały z powrotem, cieszyły się, że stąd odchodzimy, wracamy tam, gdzie nie będziemy musieli o siebie walczyć. Będziemy mogli się położyć i umrzeć.

– Hej, kurwa... – powiedział Biały jakoś niepewnie. – Nie możemy oddać ciotki na niebieską, co wy, chuj was strzelał...?

Patrzyłam w okno, zapominając, że to jest przejaw mojej choroby, taka tęsknota za drugim brzegiem; obiecałam Lekarzowi, że nie będę tego robić. Lekarz dobrze wiedział, co widzę za oknem, chociaż mu nigdy tego nie powiedziałam.

„Stąd nie widać tamtego brzegu – powiedział. – Życie jest tutaj". Ale się mylił: często widywałam ten drugi brzeg, płaski,
prawie zawsze zarośnięty, w szuwarach gęsty od mgieł albo
tak jak teraz niemal biały od słońca...
– Wiemy, co to jest wrócić na niebieską. Nie oddajemy
ludzi na niebieską, czuby pierdolone...
– Nie mogę wrócić na niebieską... – przypomniałam sobie. Nie mogłam wrócić do ludzi, którzy żyli bez telefonu
i dostępu do gniazdka z prądem, naprawdę nie mogłam, źle
się czułam pod okiem kamery, podczytywała mi tekst. Bez
lustra zapominałam, jak żyłam przedtem, musiałam mieć
kontakt z czasem, a także z obrazem własnej twarzy, bez twarzy byłam w poważnych tarapatach. – Boję się, nie wiedząc,
która godzina. Nie pamiętam, jak wyglądam.

Przyglądali mi się niepewnie, byłam o wiele mniejsza od
nich, tak mała, że wyglądałam jak dziecko, zasmucony, mały
chłopiec o bardzo krótko przyciętych włoskach i postarzałej,
kruchej twarzyczce.

– Jeszcze raz mnie zmaca, a nie ręczę za siebie. Albo spyta,
gdzie moja wątroba...

– No dobra, czuby, trzeba jej dać coś do roboty albo wywalić, innego wyjścia nie ma. Ktoś ją potrafi wywalić?

Zapadła niezręczna cisza. Ratownik odwrócił wzrok i zaczął się bawić przyciskiem elektrycznego czajnika, pstrykał
raz w górę, raz w dół, czajnik posykiwał rozeźlony. Szeregowy Mazur wycierał ścierką zlewozmywak, w górę, w dół,
miał dyżur w kuchni. Czajnik włączał się i wyłączał, Ratownik mówił pod nosem: „kurwa, kurwa, kurwa".

Biały popatrzył na mnie bladymi, zimnymi oczami.

– No dobra, ciotka, co jest z tym pisaniem? Tylko się dobrze zastanów, co powiesz.

Powiedziałam, że odkąd zaczęły się moje afrykańskie sny, niczego nie napisałam. Nie potrafię nawet opisać tych snów, nie mam również pomysłu na nową książkę, a słowa przestały mieć swoje znaczenie, brzmią płasko, są jakby narysowane na płaskim...

Biały powiedział, że na płaskim to jest chuj, jak po nim dwa razy przejechać, i że moje szczęście, że jeszcze nigdy nie oddał człowieka na niebieską, przejebana jego mać. Będę pisać, choćby miał mi wtłaczać słowa w gardło otwieraczem do okien.

– Jak piszesz coś strasznego, to ten twój jest cały i niczego nie szukasz? – upewnił się. – Ma ręce, nogi, wątrobę, w ogóle, kurwa, wszystko?

Powiedziałam, że tak, choć jeszcze nie wiedziałam, do czego zmierza. Przyznałam, że dopóki pisałam te swoje mroczne historie, męża nie było na afrykańskiej drodze, była pusta, nic na niej nie leżało. Mąż miał wszystko, nie szukałam dla niego żadnych części.

– I teraz nie wiesz, co pisać? Sama nic nie wymyślisz? – upewnił się jeszcze raz.

Zagrali o mnie w czołgistów. O to, kto będzie mówił pierwszy. Biały przegrał.

– Jebany kutas zakleszczył mi się na przełazie, mameja w chuj jebana. Jadę z normalną prędkością, mam dobre krycie i nagle pierdu: zmaza przyjebała mi w tył...

Wziął krzesło i przystawił je do mojego stolika. Siedzieliśmy teraz naprzeciwko siebie w sali terapeutycznej. Biały wsparł się rękoma o nagie kolana – zawsze chodził w krótkich spodenkach, niezależnie od pory roku. Dłonie miał potężne, o krótkich, mocnych palcach, i te dłonie były takie jak całe ciało Białego: znamionowały potworną, na wpół okiełznaną siłę. Wbijał palce w gołe kolana, pozostawiając na skórze białawe kręgi. Widać było, że sytuacja go krępuje, może nawet teraz wydaje mu się trudniejsza niż wtedy, gdy mówił: „No dobra, czuby", nie do końca to sobie przemyślał.

– No dobra, to mówię...

Nabrał głęboko powietrza i wypuścił je ze świstem przez nos. Wyraźnie się denerwował. Skóra na głowie zadrgała mu jak podrażniony grzbiet kota.

– Co to miałem powiedzieć... – Przejechał dłońmi po nagiej głowie. – No tak... Wpierdolił mi prosto w zad, jakby kutas siedział i specjalnie na mnie czekał, w ogóle go nie widziałem, wjechałem na ten przełaz jak ostatni buc. Gdyby nie to, na pewno bym wygrał. Pamiętasz Grześka? Tego, co się tak spasł? Mówiliśmy o nim Spaślak. Z nim zawsze wygrywałem.

Chwilę milczeliśmy.

– No to mówię. – Na skórze Białego pojawiły się czerwone plamy. Z każdą minutą miał wyższe ciśnienie. Pocierał dłońmi uda, chowając głowę w sztywne, naprężone ramiona. Zrobił się jeszcze większy niż normalnie. Zsunął z nóg klapki, jakby one też mu przeszkadzały, Biały w ogóle niewiele miał na sobie. Mówił, że mógłby chodzić goły, nie odczuwa zmian temperatury, a ubranie go krępuje. Im więcej ma na sobie, tym wyraźniej czuje, że go rozsadzi, normalnie go porozrywa na kawałki.

– No to mówię...

– Chuj to trącał! Mówię!

– Nie rozumiem, mówiłem w zeszłym roku. Nie było łatwo, spociłem się jak mysz, jakbym wyszedł spod pompy. Wszystko miałem mokre, do gatek. Blondyna już myślała, że nic z tego nie będzie, bo nic nie mówiłem, tylko siedziałem i się pociłem. Ale w końcu zacząłem i jakoś poszło. Dzieciństwo, wiadomo, prosta sprawa, najgorzej w ogóle zacząć, potem już jakoś idzie...

– No to zaczynam...

– Ja pierdolę, normalnie pierdolę!

– Blondyna mówi, żeby zacząć od czegoś łatwego, że niby chodziłem do przedszkola. Albo że wychowywała mnie babcia... Ale to u mnie wcale nie było łatwe, bo babcia to mi umarła na rękach. Od razu mnie zaczopowało i tylko pilnuję, żeby się nie poryczeć. Miałem wtedy piętnaście lat, babcia pięćdziesiąt pięć. Nawet tego nie potrafiłem powiedzieć.

– ... i Grzesiek mówi: wziąć dwie flaszki, po jednej na głowę, i przelać do butelek po mineralnej. Dodać trochę soku malinowego i udawać, że to napój truskawkowy. Wnieśliśmy tak ze dwa litry żywego spirytusu...

– Blondyna mówi: pominąć babcię, zacząć od czegoś łatwego. Żeby nie od razu od Afganistanu, bo nie dam rady, tylko normalnie od początku, jak byłem mały i w ogóle... A baba jest twarda, sama wiesz. Przyczepi się, to jak chuj do ogona. Nie popuściła mi, chociaż joby takie słałem, że sam czułem, że coś może być nie tak, grubo przesadziłem. Kobiety aż się kuliły, akurat były ze dwie starsze, pewnie w życiu czegoś takiego nie słyszały, a jedna to się popłakała. Grupa była duża, dwadzieścia osób, a ja siedzę i co usta otworzę, to joba sadzę. A Blondynie nawet powieka nie drgnęła, skubanej. W ogóle nic, jakbym o kwiatkach opowiadał. Tylko czeka, aż skończę, i znowu zaczyna swoje: „To może pan zacznie od początku, jakieś drobne wydarzenie...". No to powiedziałem, gdzie się urodziłem i jak wygląda ta moja wioska. Że góry i ładna okolica, nawet na nartach można pojeździć. A potem już jakoś poszło. To znaczy do tego, co było w Afganie, bo potem to już nic. Coś się we mnie zacina i koniec, ni chuja, nic nie powiem.

– No to mówię...

– Kurwa, nie dam rady, chuj to strzelał, ja pierdolę. Normalnie nie dam rady...

Mikołaj miał swój życiorys napisany na kartce. Wszedł do sali terapeutycznej sztywnym krokiem, trzymając rękę w kieszeni, od razu wiedziałam, że ma tam coś niebezpiecznego. Kazał mi usiąść na krześle, które zwykle zajmowałam podczas sesji, i sam usiadł na swoim miejscu, dwa krzesła dalej. Siedzieliśmy przez chwilę w milczeniu, ja bokiem do okna, jednym okiem zaczepiona o krajobraz za szybą, Mikołaj ze wzrokiem wbitym w jakiś punkt w podłodze.

– Masz spisać to, co powiem, o ile dobrze zrozumiałem? – zapytał. Wyjął rękę, ale nadal dotykał kieszeni. – Ja mam mówić, a ty spiszesz to po swojemu, tak? – upewnił się.

Powiedziałam, że byłabym bardzo wdzięczna. To mi pozwoli...

– Będziesz pisała teraz czy potem?

Powiedziałam, że wolałabym potem. Przy pisaniu muszę być sama, przeszkadza mi wtedy wszystko, nawet...

– Potem, to znaczy po kolacji? Będziesz pisała wieczorem?

Powiedziałam, że wolałabym wieczorem, między kolacją a roznoszeniem leków, kiedy nikt z personelu nie kręci się po czerwonej stronie. W tych godzinach pielęgniarki miały sporo roboty na niebieskiej. O dziewiętnastej rozdzielały telefony komórkowe, wszyscy mówili naraz aż do dziewiętnastej trzydzieści, potem zbierały je z powrotem, musiały odebrać je także tym, którzy twierdzili, że ich jeszcze nie dostali.

– Między osiemnastą a dwudziestą będę miała najwięcej swobody – powiedziałam. – Nikt mi nie będzie zaglądał w to, co piszę, a to jest podstawowy warunek. Do pisania muszę mieć zupełny...

– Ktoś to będzie sprawdzał? – przerwał mi Mikołaj. – To, co napiszesz?

Nie wiedziałam, nie było o tym mowy.

– Ktoś to musi sprawdzać – powiedział. – Nie ma sensu ci tego opowiadać, jeżeli nie zrobisz tego porządnie.

Powiedziałam, że zrobię to bardzo porządnie. Robię to od lat, to mi bardzo pomaga, wprowadza porządek w moje życie. Jestem specjalistką od mrocznej literatury, może o mnie słyszał? Pisali o mnie w „Gazecie". Zbierałam materiały latami, spisywałam i wszystko było ze mną w porządku. Dopiero ostatnio coś się popsuło. Lekarz mówi, że na razie nie potrafię się dostosować do życia bez strachu, dlatego szukam go w snach. Dziwne, nie? Mam naprawdę paskudne sny.

Przesiedzieliśmy jakiś czas w milczeniu.

– Wieczorem sprawdzę, czy to zrobiłaś – powiedział Mikołaj.

I znowu milczeliśmy. Mikołaj co jakiś czas dotykał kieszeni, sala terapeutyczna powoli mroczniała, tablicy ogłoszeń nie było już prawie widać. Bielała na niej tylko Karta Praw Pacjenta, gruby plik kartek przypięty dwiema pineskami do korkowej płyty. Nikt jej nigdy nie przeczytał, choć nowi czasem podchodzili i przyglądali się pierwszej stronie, przechylając głowy, bo Karta wisiała krzywo.

Cisza zaczynała mi ciążyć.

– To trochę jak z odwykiem – odezwałam się. – Organizm dopomina się swojej dawki, a kiedy jej nie dostaje, mówi: Ja cię urządzę! Nie będziesz mogła pracować i już nigdy nic nie napiszesz, jesteś skończona. Domaga się ode mnie swojej dawki strachu? Nic z tego nie rozumiem... – Mikołaj siedział teraz z ręką w kieszeni, międlił w palcach to, co było w środku. – To takie dziwne – ciągnęłam – mieć w sobie szantażystę. Lekarz mówi, że jestem własnym wrogiem. Wychodzi na to, że aby normalnie funkcjonować, muszę się bać, rozumiesz coś z tego? Nie lubię się bać – powiedziałam. – Nigdy nie oglądam strasznych filmów.

– Przeczytam ci, co napisałem, nie potrafię opowiadać. – Mikołaj delikatnie wyjął kartkę z kieszeni. – Ale to mój życiorys – zastrzegł się. – Mogę zacząć, od czego chcę, nawet od końca.

Bał się tego, co ma powiedzieć, inaczej niż Biały, chyba na tym głównie polegała różnica między nimi. Obaj byli równie nieprzewidywalni, agresja buzowała im tuż pod skórą, ale Mikołaj trzymał swoją na uwięzi. Chyba lepiej zdawał sobie sprawę, co ma w środku: to wielkie, zdziczałe zwierzę, które w jednej chwili może przegryźć mu gardło.

– I mogę przerwać w każdej chwili – ostrzegł. – Ja decyduję o tym, co chcę powiedzieć. Jeżeli w ogóle się zdecyduję. – Popatrzył na mnie ostro. – Tak – powiedział. – To trudne, ale muszę to zrobić.

Rozłożył kartkę i wtedy zobaczyłam, że kartek jest kilka. Były metodycznie zapisane drobnym pismem, nieskazitelnie równy zapis wydarzeń, które zniszczyły Mikołaja, nie pozostawiając mu żadnych szans.

Wygładził kartki na kolanie i przyjrzał się im z napięciem, jakby widział je po raz pierwszy. Wyglądały na często używane.

Czy da pan sobie chociaż jedną szansę? – zapytała terapeutka. Twarz miała stężałą i w tej chwili bardzo podobną do twarzy Mikołaja. – Czy pan wie, że w ten sposób nie daje pan sobie żadnej szansy?

Mikołaj raz za razem wygładzał kartki, jakby to był stary pies, któremu należy się powitanie, inaczej nie da człowiekowi spokoju.

„Urodziłem się w 1972, w maju..."

Podniósł głowę i spojrzał na mnie z nagłym, trochę zawstydzonym uśmiechem.

– Czytałem to już cztery razy – powiedział.

Nie zrozumiałam. Był drugi w kolejce, zaczęliśmy przed dwoma dniami. Komu zdążył przeczytać to cztery razy? I dlaczego te kartki wyglądały tak, jakby nosił je w kieszeni kilka lat? Uświadomiłam sobie, że są po prostu stare.

Mikołaj znowu się uśmiechnął, smutno i kpiąco.

– Mam to od dawna. Napisałem to, kiedy przyszedłem na pierwszą hospitalizację.

– Ale dlaczego cztery razy? – zapytałam, jeszcze nie rozumiejąc. Życiorys czytało się raz, w szóstym tygodniu pobytu, miało to uzdrawiającą moc. Kolej Mikołaja jeszcze nie nadeszła. Co to znaczy, że przeczytał go czterokrotnie? – To który raz jesteś tutaj?

Skrzywił się, jakby go coś zabolało. Przestraszyłam się. Niechcący złamałam niepisaną regułę w moich kruchych, płochliwych relacjach z weteranami – zadałam pytanie osobiste. A tak uważałam, pilnowałam się nieustannie. Wystarczyła chwila nieuwagi, by wszystko popsuć.

Mikołaj jeszcze się namyślał. Widać było, jak waży wszystkie za i przeciw – zostać i dalej ze mną rozmawiać czy po prostu wstać i wyjść.

– Szósty – powiedział opornie i skrzywił się z niesmakiem, jakby nie spodobała mu się własna decyzja. – Ale życiorys udało mi się powiedzieć dopiero za trzecim razem. To mam go czytać czy nie?

Urodziłem się w 1972 roku, w maju, w X. Dzieciństwo miałem szczęśliwe, w rodzinie nauczycielskiej. Mama uczyła w szkole średniej chemii, tata w podstawówce rosyjskiego. Miałem zawsze dużo kolegów, ale byłem spokojnym dzieckiem i rodzice zawsze powtarzali, że cały diabeł wszedł w mojego starszego brata. W domu nie było alkoholu ani przemocy. Brat miał zawsze kłopoty i dwa razy przychodziła do domu milicja. Ojciec nie umiał utrzymać w domu dyscypliny, zawsze robiliśmy, co chcieliśmy, zwłaszcza mój brat. Musiałem mu ustępować i ojciec zawsze mu ustępował, nawet kiedy brat podpalił mi włosy, ojciec nic nie zrobił, teraz myślę, że się go bał. Kiedy miałem dwanaście lat, dowiedziałem się, że w szkole nikt go nie szanuje, a uczniowie robią sobie z niego żarty, nazywają go Ciaptak. Pamiętam, że bardzo mnie to zabolało. Wróciłem do domu i pomazałem mu flamastrem kartkówki, które przyniósł do sprawdzenia. Chciałem, żeby mnie ukarał, zrobił coś po męsku. Ale on zebrał te pomazane kartki i powiedział, żebym drugi raz tego nie robił. Wtedy zacząłem chuliganić, byłem jeszcze gorszy od brata, tylko że nie dawałem się złapać milicji. Wybijałem okna w piwnicach na osiedlu. Były zakratowane, ale ćwiczyłem tak długo, że trafiałem między kratami za pierwszym razem. Sąsiedzi przyłapali mnie dopiero po kilku miesiącach, poszli do ojca i powiedzieli, kto to robi. Nie ukarał mnie, chyba nie potrafił albo się bał, w siódmej klasie byłem już wyższy od niego. Ale myślę, że nie chodziło tu o mój wzrost, tylko o to, że bał się wszystkich ludzi. Kiedy nie ukarał mnie za wybijanie szyb, zacząłem kraść w sklepach spożywczych. To były drobne kradzieże, papierosy, alkohol, słodycze. Nadal dobrze się uczyłem i poszedłem do ogólniaka, rodzice chcieli, żebym skończył studia. W drugiej klasie ukradłem nauczycielowi motocykl, starego junaka. Pojeździłem trochę po okolicy i zostawiłem go w lesie. Nie wiem, dlaczego to zrobiłem, ale to mnie przestraszyło. Wiedziałem, że jestem zupełnie bezkarny, i coś mnie pchało, żeby pójść dalej tą drogą, zobaczyć, co będzie dalej, jak daleko mnie to zaprowadzi. Chyba dlatego rzuciłem szkołę i poszedłem do wojska.

Poznałem moją żonę. Po roku wzięliśmy ślub. Urodziła się pierwsza córka, potem syn. Narodziny drugiego syna pamiętam najlepiej, jakby to było wczoraj, myślę, że przez to tutaj jestem. Żona miała zagrożoną ciążę i dużo przebywała w szpitalu, ale na ten ostatni miesiąc puścili ją do domu. Wróciłem z misji i mogłem się nią opiekować. Tego dnia, kiedy urodził się nasz syn, obudziła mnie o trzeciej nad ranem, powiedziała, że to już, odeszły jej wody i musimy jechać do szpitala, a ja nie wiedziałem, gdzie jestem. Wydawało mi się, że wciąż jestem w Afganistanie, w ogóle jej nie widziałem. Ona do mnie mówiła, patrzyłem na nią, ale wydawało mi się, że siedzę w nocy w kampie, w bazie, zaraz rozpocznie się atak rakietowy, ktoś krzyczy, że to już, zaraz się zacznie. I żebym się ruszył. Ktoś krzyczy, że zaraz umrze. Myślałem, że ja. W Afganistanie odbyłem dwieście patroli, było siedemnaście ataków na bazę. Pamiętam zwłaszcza jeden, kiedy gruchnęło w pralnię. Nic z niej nie zostało. Kiedy wyszliśmy ze schronu, już jej nie było, po prostu zniknęła. Była, kiedy schodziliśmy do schronu, a kiedy wyszliśmy, już jej nie było.

Teraz mamy dom, ogródek, moje dzieci dobrze się uczą, jestem z nich dumny. Córka zdaje maturę. Syn jest bardzo dobry z matematyki, wygrał olimpiadę. Jest bardzo dobrze. Chcę założyć firmę ogrodniczą.

Mikołaj skończył czytać, ale jeszcze przez chwilę patrzył na ostatnią kartkę, jakby spodziewał się dalszego ciągu, a może miał tam napisane coś więcej. Od dawna było ciemno i wiedziałam, że Mikołaj nie czyta, tylko mówi z pamięci. – Chyba nie jesteś tutaj dlatego, że gruchnęło w pralnię? – zapytałam, wiedząc, że dużo ryzykuję. Coś mnie jednak pchało naprzód, kazało atakować Mikołaja, chciałam się przekonać, jak daleko mnie to zaprowadzi. – Jesteś w psychiatryku, dlatego że wyszedłeś ze schronu i zobaczyłeś, że nie ma pralni? – Mówiłam coraz głośniej, podnosiłam głos na Mikołaja, nie wiedząc jeszcze, dlaczego to robię ani co chcę uzyskać. Może jakąś lepszą historię, historię o tym, jak patrzył na żonę, ale jej nie widział, ponieważ w Afganistanie zdarzyło się coś, o czym nie wspomniał. W tym, co mi opowiedział, nie było dla mnie nic, zupełnie nic. – Nie widziałeś żony, która zaczęła rodzić na twoich oczach, ponieważ trafiło w pralnię? – Teraz już krzyczałam, zostawiał mnie bez żadnej historii. – Nie chcesz chyba powiedzieć, że to wszystko?

Terapeutka patrzyła przez zmrużone, ciężkie powieki. Było w niej odprężenie, jakie następuje po odczytaniu życiorysu, całkowita, obezwładniająca ulga, i ten sam opór, który miał w sobie Mikołaj. Wyczerpywał ich oboje. Ze zmęczenia ledwo utrzymywali się na krzesłach.

„Chyba nie chce pan powiedzieć, że to wszystko? – zapytała, mimo że tak bardzo chciała odpocząć, tak jak Mikołaj. Pójść gdzieś, położyć się w bezpiecznym miejscu i spać, o niczym nie myśleć. Po życiorysie należał się odpoczynek, mieliśmy prawo do zupełnego odprężenia. To było niepisane prawo części

terapeutycznej. – Jeżeli się nie mylę, są to te same trzy kartki, z których czytał pan podczas trzeciej hospitalizacji?"

Siedzieliśmy w półmroku, Mikołaj milczał, składał swoje kartki na coraz mniejsze kwadraty. Przeczytanie życiorysu sporo go kosztowało i teraz był zupełnie wyczerpany, drżała mu jedna brew. „Wydaje mi się, że są to te same kartki, które miałem przy pierwszej hospitalizacji". Popatrzył na mnie prawie z nienawiścią, jakbym to ja schrzaniła mu życiorys, w ogóle byłam wszystkiemu winna.

„Jeżeli to są te same kartki co przed trzema laty, to chyba nie mamy o czym rozmawiać?"

Drżało mu prawe ramię, na wargach ukazała się kropla krwi. Powiedział, że sporo dopisał, nowy jest cały fragment o dzieciach. Ma bardzo udane dzieci, to zasługa jego żony. Tyle dokonał, przeczytał ten cholerny życiorys i był wyczerpany do cna, ale to było jeszcze za mało. Znów więc okazywało się, że to jeszcze za mało, drży mu jedna brew. Nie wiedział, co jeszcze mógłby zrobić. Nie mógł mówić o tym, co się wydarzyło w Afganistanie. Próbował już cztery razy.

„Czy kiedyś da pan sobie jakąś szansę?"

– Przez trzy lata hospitalizacji nie posunąłem się ani o krok naprzód. Dzisiaj powiedziałem tyle samo co za pierwszym razem na zajęciach z terapeutką. Wtedy nie wspomniałem o kradzieży motocykla i o tym, że brat mi podpalił włosy. Przy drugiej próbie powiedziałem o motocyklu. Przy trzeciej o podpaleniu. Nadal nie powiedziałem, co się wydarzyło w Afganistanie.

„Czy pan wie, że w ten sposób nie daje pan sobie żadnej szansy?"

„A jak się pan czuje, panie Mikołaju? – zapytała terapeutka, zmieniając ton. Brzmiał teraz sucho, bezosobowo, jakby Blondynka niezbyt dobrze znała Mikołaja, pytała z takiej bezosobowej ciekawości. – Z raportów wiem, że pan w ogóle nie sypia, prawda? A jak się panu układa życie zawodowe? Zdaje mi się, że pan nie pracuje, nie jest pan w stanie. Zamykają się wokół pana ściany pokoju, w którym pan pracuje, tak?"

Powiedziałam pani Stasi, żeby może spróbowała coś zrobić ze swoim życiorysem, opowiedzieć go jakoś inaczej, żeby nie było w nim tyle luk. Może wtedy weterani przestaną jej dokuczać, bo otwierając się, trochę ułagodzi ich gniew.

– A ich co obchodzi mój życiorys? – zaperzyła się pani Stasia. – Jest, jaki jest, i nic w nim nie będę zmieniać.

– Ma luki – powiedziałam, próbując po raz ostatni dotrzeć do pani Stasi. Po raz ostatni przypomniałam sobie babcię Miecię. – A my jesteśmy grupą, opowiadamy tylko pełne życiorysy. Jeżeli zostawiamy takie puste miejsca, obraca się to przeciwko nam, nie zauważyła pani? Dobrze by również było, gdyby nie przywiązywała pani takiej wagi do śmierci psa oraz do tego, że nie otrzymała pani przydziału na bojler. Może by pani spróbowała opowiedzieć nam coś więcej. Na przykład co się stało, że odszedł od pani mąż, a potem porzuciły panią dzieci. Nie tylko to, że rzucił panią mąż, a dwadzieścia lat później przeszła pani na emeryturę. Ludzie, którzy pani słuchają, muszą opowiadać takie straszne rzeczy. Widzieli, jak umierają ich bliscy, muszą powiedzieć, że zabili kilka albo kilkanaście osób, jednego człowieka, ale z bliska, potrafią dokładnie opisać, jak wyglądał. To dla nich bardzo trudne, irytuje ich, kiedy zestawia się to ze śmiercią psa. Oni tak ciężko walczą, nie widzi pani tego?

– Puszek zmarł, wcale się tego nie spodziewałam. Nie był chory, więc to pewnie było serce. Wróciłam z zakupów, odwiesiłam płaszcz w przedpokoju i już mnie coś tknęło, bo przecież zawsze mnie witał, nawet jak się gniewał o to, że go nie zabrałam do sklepu. Nie zabierałam go tylko wtedy, gdy szłam do mięsnego. Weszłam do dużego pokoju, a on leżał na środku dywanu, na boczku, z wyciągniętymi łapkami. Był takim miłym psem. Kiedy umarł, to był koniec wszystkiego.

Poradziłam jej, żeby nie opowiadała tego weteranom, bo znów zrobią jej na złość, zaczną mówić, jak najlepiej zabija się kota, jak ostatnim razem. Wybrali porę śniadania i wszyscy na tym ucierpieliśmy. A kiedy skończyli z kotami, zajęli się psami. Opowiadali, co się robi z psem łańcuchowym, żeby był naprawdę ostry, wcale nie chciałam tego wiedzieć.

– Chyba pani nie chce, żeby znów zaczęli o tym mówić? Pani Stasia wzruszyła ramionami.

– Nie obchodzą mnie ludzie, którzy używają takiego języka. Jak oni się wyrażają! Nie będę się z nimi komunikowała.

– Żeby z panią nie było tak jak z tym Julkiem – ostrzegłam. – Tutaj trzeba się zdobyć na szczerość, inaczej to wszystko nie ma sensu, jeszcze pani tego nie rozumie? Tylko prawda może nam pomóc.

– Nie znam żadnego Julka – powiedziała pani Stasia. – Który to?

Weterani nie lubili Julka, właściwie nie wiedziałam dlaczego. Twierdzili, że coś jest nie w porządku z jego życiorysem. Julek był młody, życzliwy ludziom, pełen dobrych chęci. Tyle tylko że opowiadał swój życiorys chętnie, bez śladu emocji. Weterani byli inni, mówienie o tym, co im się przydarzyło, przychodziło im z największym trudem albo w ogóle im się nie udawało, niektórzy nie byli do tego zdolni nawet po kilku hospitalizacjach. Płakali, nie mogąc mówić, wychodzili z kliniki i wracali do rodzin, z którymi nie mogli się porozumieć, znowu przyjeżdżali do kliniki i próbowali powiedzieć, co im się przydarzyło na wojnie. Julek uśmiechał się i mówił, że zastrzelił dwanaście osób, pociski porozrywały je na kawałki. Większość czasu spędzał w pokoju telewizyjnym, rozłożywszy na podłodze matę do zajęć relaksacyjnych, czytał, rozmawiał przez telefon albo oglądał telewizję z panią Stasią. Dużo też udzielał się w zajęciach terapeutycznych, mówił chętnie o tym, co czuje, nie miał żadnych luk w swoim życiorysie. Dzwonił bardzo często do żony. Teraz przypominam sobie, że rozmawiał z nią, ile razy zdarzyło mi się wejść do pokoju telewizyjnego – doładowywałam tam komórkę. Podłączałam ją do prądu, a w tym czasie Julek upewniał się, co żona kupiła w sklepie spożywczym, albo pytał, czy wezwała hydraulika do tego cieknącego zlewu, o którym mówili poprzedniego dnia. Czy Magdusia ładnie dzisiaj zjadła? Którędy jeździcie do przedszkola? Tą drogą koło kościoła? Jesteś teraz w kuchni?

Myślę, że nie wierzył, by ona i dziecko istnieli w czasie, gdy on do nich nie dzwoni. Istnieli tylko wtedy, kiedy słyszał głos żony w słuchawce.

– Wszystko w porządku? – pytał. – Jesteś w kuchni?

Potem zaczęło mnie zastanawiać, kiedy utracił poczucie, że jego rodzina jest bezpieczna nawet wtedy, gdy on jej nie pilnuje i nie bierze udziału w jej życiu. I co się dzieje w okresach między telefonami?

– Zawsze musisz wiedzieć, co robią? – zapytałam ze współczuciem. – Kiedy ci się tak porobiło?

– Muszę do niej dzwonić. Tylko wtedy wiem, gdzie jest.

Nie powiedziałam mu, że to wcale nie jest prawda, zamiast tego zapytałam, co się dzieje z jego żoną, kiedy nie rozmawia z nim przez telefon. Znika, opuszcza go, robi coś złego? Jak on to sobie wyobraża?

– Spada na nią bomba – powiedział Julek, zamawiając sokowirówkę w telezakupach. Mówił do mnie, wklepując numer telefonu w komórkę. – Rozbija się samolot, mieszkamy przy lotnisku. Nic z niej nie zostaje, samolot spada na dom. Wali się na nią ściana dużego pokoju. Czasem również pali się po wybuchu gazu.

W połowie października pani Stasia nagle przestała opowiadać mi swój życiorys. Urwała w połowie zdania, jakby coś odciągnęło jej uwagę. A może ona również straciła zainteresowanie, było takie przewlekłe jesienne popołudnie.

– Poszłam do kierownika i powiedziałam o przydziale na bojler, a on mi na to, że jeszcze nie mam dostatecznej wysługi lat. Chociaż tak dobrze zawsze pracowałam, przez dwadzieścia lat ani razu...

Pani Stasia postała jeszcze chwilę w nogach swojego łóżka, a potem poszła na telewizję. Była to chyba nasza ostatnia rozmowa, chociaż mieszkałyśmy razem jeszcze sześć tygodni. Tamtego dnia pani Stasia zmieniła swój tryb życia. Wstawała przed szóstą, słała łóżko, na którym w dzień nigdy się nie kładła. W ogóle nie pamiętam jej siedzącej na łóżku, nawet podczas tych kilku ostatnich dni, kiedy już nie pozwalaliśmy jej oglądać telewizji ani przebywać z nami w świetlicy. Wieczorem wkładała różową koszulę nocną, przekręcała się na prawy bok i zasypiała od razu, ale nie pamiętam, żeby kiedyś w ciągu dnia przysiadła na łóżku. Kiedy ograniczyliśmy miejsca, w których mogła przebywać, i pozostała jej tylko sala kobieca i czerwony korytarz, stała godzinami w nogach łóżka, z jedną ręką wspartą lekko na metalowej poręczy, w jakiejś niezrozumiałej dla mnie gotowości. W ostatnich tygodniach spacerowała po korytarzu albo stała przed szklanymi drzwiami, czekając, aż nadejdzie piętnasta, pora wyjścia na przepustkę. Do pokoju przychodziła tylko po to, by powiedzieć nam, ile czasu zostało jej do obiadu albo do godziny roznoszenia leków. Mówiła: „Do roznoszenia leków zostało mi jeszcze dziesięć minut". Albo: „Do wyjścia na przepustkę zostało mi jeszcze piętnaście minut". Przybiegała do pokoju tuż przed dziewiątą i ustawiała się w nogach łóżka z takim napięciem i grozą, jakby każde pojawienie się kogoś z personelu było dla niej decydujące, rozstrzygało o jej dalszym pobycie w szpitalu, a może nawet o czymś jeszcze ważniejszym, jakieś ogólnej przynależności.

– Jakiej przynależności? – spytała Julia.

Właściwie nie wiedziałam. O jaką przynależność mogło chodzić pani Stasi, która między sobą a ludźmi będącymi w takim samym położeniu jak ona nie dostrzegała żadnego związku? A może problemem pani Stasi była właśnie niezdolność do zobaczenia go?

Któregoś dnia spytałam ją o to wprost.

– Za dwie minuty przywiozą mi leki – powiedziała, wymijając mnie na korytarzu. Jak wszyscy na oddziale szłam do sali, żeby być na miejscu, kiedy przywiozą leki. – Pielęgniarka powiedziała, że muszę być na sali o dziewiątej.

– Przecież wszyscy dostają leki o dziewiątej, nie zdaje sobie pani z tego sprawy? – zapytałam. Fascynowała mnie jej całkowita, bezapelacyjna oddzielność od innych ludzi.

Wtedy od wielu dni nie rozmawiałyśmy już z panią Stasią, ja i Julia. Myślę, że był to już ten okres, kiedy zaczął z nią rozmawiać Jezusek. Choć tak mi się wydawało, możliwe, że było tak, jak zapamiętała to Julia – Jezusek zaczął rozmawiać z panią Stasią zaraz po tym, jak weterani wykryli luki w jej życiorysie. Moje i Julii postępowanie nie miało z tym nic wspólnego. Ta myśl przynosi mi ulgę, jakby to, że swoim postępowaniem nie wywołałam interwencji Jezuska, oczyszczało mnie w jego oczach. Tak bardzo, jeszcze dzisiaj, zależy mi na jego opinii, że przebiegam w myślach wydarzenia, szukając w nich swojego udziału, tych kryzysowych momentów załamania mojego człowieczeństwa, które Jezusek mógł zauważyć.

Zastanawia mnie również to, że jego obecność miała taki nikły wpływ na nasze postępowanie. Mimo że tak bardzo liczyliśmy się z jego zdaniem, hamowała nas w nieznacznym stopniu. Czyżby więc ta walka o prawdę, jaką toczyliśmy, nie przebierając w środkach, z całą bezwzględnością, była dla nas mimo wszystko ważniejsza niż obraz, jaki sobie o nas tworzył?

Stałam z Białym w drzwiach sali kobiecej, mówiłam mu, kto poinformował personel o tym, że mamy klamkę do okien. Czy Jezusek mógł to słyszeć? Jestem prawie pewna, że na korytarzu nie było wtedy nikogo, a ja nie mówiłam zbyt głośno. Za moimi plecami stała przy łóżku pani Stasia z ręką na poręczy łóżka, Julia splatała warkocze z anielskich włosów, cała w srebrnych i złotych nitkach potakiwała moim słowom.

A więc Jezusek nic nie słyszał, tak bardzo się cieszę! Czasem jednak wydaje mi się, że był w toalecie po drugiej stronie korytarza albo w sali telewizyjnej, drzwi do sali telewizyjnej były otwarte. Wtedy próbuję się wytłumaczyć. W myślach sadzam go na krześle, siedzimy naprzeciwko siebie, chcę mu powiedzieć coś więcej, może to, że mówiąc Białemu, przez kogo straciliśmy klamkę, wkupiłam się w łaski grupy, weterani już zawsze potem byli dla mnie dobrzy. I jeszcze mówię, że aby przetrwać piętnaście tygodni wśród żołnierzy, musiałam zdobyć ich akceptację, w jakiś sposób zrównoważyć to, że w nocy chodzę do nich po części, mieszkam w jednej sali z panią Stasią, a także to, że w pierwszym tygodniu pobytu umyłam kubek, do którego Biały nasypał sobie kawy. Wejście na oddział miałam naprawdę nieudane i chciałam to naprawić. To akurat Jezusek powinien zrozumieć, nie był żołnierzem, był na oddziale z powodu dysfunkcji osobowości, dobrze wiedział, jak ciężko przetrwać na obrzeżach takiej żołnierskiej grupy. Poza tym utrata klamki była poważnym ciosem dla wszystkich, znacznie zmniejszył się komfort naszego życia – tak powiedziałabym Jezuskowi, gdybym mogła wytłumaczyć się z tego, co zrobiłam.

– Przez wydrę straciliśmy klamkę? – powiedział Biały, a w jego głosie brzmiało niedowierzanie i bojaźń, jakbyśmy przez głupie niedopatrzenie utracili wiekowe dziedzictwo, najcenniejszy depozyt. Ale może tak właśnie było – klamka, która przetrwała tyle hospitalizacji i nalotów kontrolnych, przepadła, ponieważ na oddział przybyła pani Stasia, przyjechała pociągiem i dwoma autobusami. – Przychodzi taka wydra i przez nią tracimy klamkę? Przecież ona tu była od zawsze...

Rozmawialiśmy w progu mojej sali, czy Jezusek mógł to słyszeć? Czy potem, gdy Biały biegł korytarzem, i jeszcze później, kiedy uderzał pięścią w szklane drzwi łazienki, wyładowując agresję, padło moje imię?

Pamiętam chwilę, kiedy przejęłam spojrzenie grupy na panią Stasię i zaczęłam ją nazywać Starą Wydrą, to był mój drugi słaby moment. Był poniedziałek, dzień życiorysów. Poniedziałki zawsze były trudne, ale tym razem życiorys sanitariusza wojskowego wytrącił nas z równowagi i czułyśmy się gorzej niż zwykle po zajęciach. Kuliłyśmy się z Julią na łóżku, Julia popłakiwała. Karolinka siedziała na krześle i pisała swoje imię w notatniku; zawsze reagowała tak na złe wiadomości. Podsunęłam jej swoją kosmetyczkę – uważała, że tam są największe skarby, które zwykle przed nią chowałam – nie wolno jej było mieć kosmetyków. Odsunęła moją rękę i napisała na kartce swoje imię. Z kolacji wróciła pani Stasia. Stanęła przed lustrem i zaczęła poprawiać włosy, nuciła jakąś melodię. Pociągnęła szminką usta i powiedziała, że idzie na kolację, tego wieczora jeszcze nie jadła.

– Na kolację jest sałatka warzywna – powiedziała pani Stasia.

„Jestem Karolinka" – napisała Karolinka.

Pani Stasia wyszła z pokoju, nucąc. W tym momencie przestałam w niej widzieć starszą osobę dręczoną tikiem nerwowym i w myślach nazywać ją po imieniu. Po kilku tygodniach zapomniałam, jak ma na imię, i nazywałam ją Starą Wydrą albo Królicą, jak weterani.

Pod okiem kogoś z personelu Królica trzepała nogą jeszcze bardziej niż zwykle. Mówiła wtedy, że poszła do lekarza, a on kazał jej położyć się na oddziale, nie rozumie dlaczego. Nie chodzi o żadne stany lękowe i wcale nie powinna opowiadać życiorysu, skoro niczego się nie boi, mieszka pięć minut od Opery Leśnej. Nie ma z nami, lękowymi, nic wspólnego. I będzie jadła tyle, ile ma ochotę, jeżeli dla innych nie starcza, to trudno, nie ona gotuje.

– Cały czas szarpie mi nogę, ale żadnych lęków nie czuję. Każdy je tyle, ile ma ochotę, nie muszę się zastanawiać, co zjedzą inni.

„Co pani teraz czuje, pani Stanisławo? – pytała terapeutka, Stara Wydra tuptała w sposób niekontrolowany, aż dzwoniły jej zęby. – W tych momentach, kiedy pani tak tupie?" Stara Wydra mówiła, że nic, dobrze się czuje, poszła do lekarza tylko po tabletki, a on kazał jej przyjść na oddział, nie rozumie po co. Nie powinna tu leżeć, skoro niczego się nie boi, mieszka pięć minut od Opery Leśnej, nikt nie ma takiego mieszkania. W parku usiądzie sobie na ławce, popatrzy na ludzi, niczego jej nie brakuje.

– Kiedyś byłam na spacerze i zobaczyłam chłopców grających w piłkę. To było boisko koło szkoły. Boisko było ogrodzone siatką, widziałam ich przez tę siatkę. Biegali po całym boisku, a trener coś do nich krzyczał. Słońce świeciło między drzewami i w pewnym momencie piłka uderzyła w tę siatkę, za którą siedziałam. Odbiła się od niej i jeden z chłopców podbiegł, żeby ją podnieść. Znalazł się wtedy bardzo blisko mnie. Był bardzo blisko mnie.

Twarz Starej Wydry wyrażała lekkie zdziwienie, jakby nie sądziła, że ma takie wspomnienie. Powiedziała, że chyba czuła zapach tego chłopca, tak jej się wydaje. Chłopiec był zgrzany, pachniał słońcem i świeżym powietrzem.

Najgorzej znosił opowieści pani Stasi Mikołaj. Po zajęciach kładł się na łóżku i żeby się uspokoić, w myślach opowiadał sobie *Szklaną pułapkę* albo *Szeregowca Ryana*. Najczęściej to nie pomagało i Mikołaj szedł po Starą Wydrę.

– Niczego jej nie brakuje!? Pieprzyć to! Pieprzyć! Musi chodzić na ulicę, żeby ludzi zobaczyć, nikt się do niej złamanym słowem nie odezwie, a ona mówi, że nic jej nie brakuje? Kłamie jak pies! Jak pies! Nie wierzę w ani jedno słowo! W jedno pieprzone słowo!

Królica patrzyła prosto przed siebie, raz po raz podrywało jej nogę.

– Byłam zawsze dobrą żoną, matką. Zawsze gotowałam, sprzątałam, mieszkanie lśniło jak lustro, dzieci chodziły ładnie ubrane, niczego im nie brakowało.

– Ja się na to nie zgadzam – ryczał Mikołaj i uderzał pięścią w to, co było najbliżej. – Nie zgadzam się. Niech idzie kłamać gdzie indziej! Nie tutaj! Nie tutaj!

Szkoła zawodowa – wybrałem zawód, którego nienawidziłem – mechanika samochodowego. Nie cierpię gmerania w tych samochodach. Służba zasadnicza. Wtedy nie przyjmowali na zawodowych. Pracowałem w warsztacie, rzuciłem, poszedłem na frezera, rzuciłem, poszedłem do fabryki płyt pilśniowych – już nie wiedziałem, co robić, kiedy zobaczyłem ogłoszenie w gazecie, że można się zgłosić. Zdałem egzamin i pojechałem do Afganistanu.

Moje trzy zmiany w Afganie. Pierwsza – wakacje. Pierwszy ostrzał. Nie było wiadomo, kto strzela. Braki w łączności, dziurawe pojazdy, niedobory amunicji. Szósta zmiana – śmierć. Zaczęliśmy ginąć w rosomakach. Dotąd mówili, że rosomaki są bezpieczne. Mój kumpel wjechał na ajdika – wiadro z granatami. Wszystko weszło w niego, był gruby i uratował innych. Jeszcze pamiętam ten zapach, kiedy wieczorem sprzątaliśmy wnętrze pojazdu. Kumpel ubrany był w mundur pustynny, reszta w zielone. Kiedy wypadła noga, wiedziałem, że to musi być on. Morale spadło do zera. Upiliśmy się do nieprzytomności.

Wróciłem do domu, następnego dnia urodziła mi się córka. Gdyby nie ona, moje oczko w głowie, wylądowałbym pod mostem.

Pojechałem trzeci raz do Afganistanu. Chodziłem na wąsach. Wchodziłem w krzaki wpatrzony w ziemię, szukając kabla, wszędzie wokół widziałem błysk lornetki – talibowie siedzieli w krzakach i czekali, kiedy wejdę na ładunek, żeby go odpalić.

Dotąd boję się krzaków, nawet tych w ogrodzie. Zawsze szedłem w pierwszej linii, przed kolumną, na wąsach. I tak dzień w dzień. Pewnego razu idę z kumplem, tydzień przed końcem, za nami kolumna wozów. Droga się zwęża, po prawej stronie murek, dochodzimy do zagajnika. Wsadzamy głowy pod mostek, kumpel mówi: Coś tu jest. I było – wszystko weszło w niego. Otworzyliśmy ogień w stronę krzaczorów, pełen ostrzał. Wróciliśmy do bazy i niby nic. Jest żałoba po kumplu, okropny wstrząs, ale niby nic, trzeba żyć dalej.

Tydzień później wróciłem do domu, wziąłem sobie piwo, obejrzałem film z kumplem, który zginął, wziąłem sobie piwo, zagrałem w gierkę na kompie, piłem piwo. Przyjechała do mnie pani z profilaktyki, psycholog, powiedziała, że przecież nic się nie stało, mam żonę, dziecko. I żebym pojechał do Warszawy na leczenie. Nie chciałem jechać, chciałem się jeszcze napić.

Ratownik najczęściej siedział w palarni, gdzie przychodziła również Julia, palili albo rozmawiali. Aż do obiadu prawie nie było znać po nim zaburzeń mowy, dobrze wiedział, gdzie się znajduje. Po południu zaczynał przekręcać końcówki albo mylił znaczenie słów, wybierał podobnie brzmiące. Trudno mu też było zorientować się w sytuacji, wydawało mu się, że jest w miejscu, gdzie jest dużo rannych, sam sobie z nimi nie poradzi. Weterani ukrywali to przed personelem, tak jak ukrywali moje wyprawy po części. Kiedy Ratownik zaczynał przekręcać słowa, mówił: „Wracam po hakiem, wyciągam nogami", brali go pod ręce i wyprowadzali na spacer, na świeżym powietrzu prawie nie było słychać, co mówi.

Miało to również tę zaletę, że wykazywał ruchliwość i ogólną chęć do życia.

Weterani sprowadzali go z rampy i chodzili z nim ścieżką wokół skweru. Czasem nie chciał iść, rzucał się albo nie poruszał nogami. Biały mówił, co mu zrobi, jak zaraz nie zacznie, kurwa, kurwa, kurwa. Okrążali skwer, pokazując personelowi sprawdzającemu, że Ratownik jednak ma chęć do życia, jednak ma.

Czasem sadzali go obok mnie na betonowej ławce przy palenisku, gdzie latem piekliśmy kiełbaski. I siedzieliśmy sobie razem, patrzyliśmy, jak Marek objeżdża ogród różany, wypróbowuje nowy, udoskonalony wózek inwalidzki albo czyta, przesuwa wózek, wędrując za plamą słońca. Ale trwało to krótko. Ratownik odchodził prawie od razu, nie mógł znieść mojej obecności, a ja zostawałam, patrząc na ogród różany, przemarzający nocami, bo od strony rzeki w nocy nadciągały już prawdziwe chłody. Mimo to Marek przesiadywał godzinami w plamie słońca. Kiedy nie czytał, podnosił wzrok i wydawało mi się, że patrzy na rzekę, też widzi ten zakazany, nielubiany przez Lekarza brzeg, czasem mogłabym przysiąc, że go widzi. Wrażenie było tak silne, że niemal zbierałam się, żeby podejść i o tym porozmawiać. Jesienią rzeka nabrała rozpędu, już nie płynęła zakolami, zasnuwały ją tęskne, chłodne mgły, moglibyśmy o tym porozmawiać. Byliśmy wybrańcami, kusiły nas te mgły. Ale mimo upływu tygodni nie potrafiłam nawiązać z Markiem kontaktu i tak naprawdę nic o nim nie wiedziałam prócz tego, kim był kiedyś. Właściwie nie wiedziałam nawet, czy teraz jest po stronie życia, jak inni weterani, czy jest ze mną, sprawdzamy ten

drugi brzeg. Większość weteranów była po stronie życia –
a przynajmniej robiła wszystko, by tam pozostać, o Marku
nie mogłabym tego powiedzieć.

*Urodziłem się w małej wiosce w zakolu Soliny. Niewiele tam
było do roboty, żadnych perspektyw. W ciągu roku czas jakoś
mijał, już sama droga do szkoły i z powrotem zabierała kawał
dnia. Ale potem przychodziły wakacje. Całe dnie staliśmy na
placyku przed sklepem spożywczym i przystankiem autobusowym. Autobus przyjeżdżał raz dziennie i chyba na to czekaliśmy. Nie pamiętam, kiedy postanowiłem, że się stamtąd wydo-
stanę. Ojciec chciał, żebym został i pomagał mu w pracy, był
dekarzem. Miałem piętnaście lat, kiedy topiłem się w rzece,
może to było wtedy? Ta myśl, kiedy woda zamknęła się nad
moją głową, że nie chcę tu zostać, nie chcę się tu nawet uto-
pić. Chyba to mi dało siły, żeby wypłynąć. Po tym wypadku
zacząłem bać się wody. Przełamanie lęku zajęło mi trzy lata.
Z początku nie potrafiłem nawet wejść do basenu. Jeździłem
do ośrodka sportowego, trzydzieści kilometrów w jedną stronę,
trzy razy w tygodniu. Żeby mieć na bilety, pomagałem ojcu
przy kładzeniu dachów. Potem poszedłem na kurs dla ratow-
ników, zdobyłem uprawnienia. Ciągle wydawało mi się, że
to za mało. Poszedłem na kurs nurkowania głębinowego i dopiero wtedy poczułem, że zrobiłem coś do końca. Może z wojskiem było podobnie? Czułem, że to mi da nieograniczone
możliwości. Jedyne bariery, na jakie się natknę, będą moje
własne, taka myśl jednak popycha człowieka naprzód – że
może się rozwijać, aż dojdzie do kresu własnych możliwości.
Jak to się nazywa w literaturze? Pełnia życia...? Armia mogła*

dać mi wszystko, a może inaczej – będąc w armii, mogłem wydobyć z siebie wszystko. Zacząłem się uczyć języków. Nie miałem zdolności lingwistycznych, ale opanowałem niemiecki, francuski, angielski i arabski. Czytać zacząłem już w technikum, filozofia, historia. Idąc na studia oficerskie, sporo już wiedziałem, a przynajmniej miałem pojęcie, od czego zacząć. Dostałem się do elitarnej jednostki i zacząłem wykorzystywać to, czego się nauczyłem. Czułem, że to dopiero początek, ale wiedziałem, do czego zmierzam...

Julia twierdziła, że to ona zaczęła tę rozmowę, Ratownik wcale nie chciał rozmawiać, w swoim czwartym tygodniu miał trudności z prawie wszystkimi słowami.

Działo się to w palarni pośród kłębów dymu, który – zdawało się – przechodził do naszej sali przez ścianę i jak opary cudzych myśli mieszał Julii w głowie. Po każdym powrocie stamtąd wydawała mi się przez chwilę kimś innym.

W palarni Julia siedziała na ławce przytwierdzonej na stałe do ściany, dla pewności przywierała do niej całą powierzchnią pleców. Tylko w ten sposób mogła przetrwać w miejscu publicznym. Liczyła wolno do pięćdziesięciu. Ratownik stał przy drzwiach na taras ze wzrokiem utkwionym przed siebie, rozdzielała ich donica z petami.

– Skąd jesteś? – spytała Julia.

Ratownik zbierał się w sobie, układając w myślach słowa. Starał się nie patrzeć w dół, Julia unieruchamiała oko, licząc do pięćdziesięciu. Wiatr targnął drzwiami na taras, odpadło kilka liści z gęstwiny winorośli. To przywołało Ratownikowi jakieś odległe wspomnienie, jeszcze z czasów gdy był dzieckiem: biegł w stronę domu chodnikiem, czerwone liście uderzały go w twarz.

– Z Trybunu Piotrkowego. Urodziłem się w Trybunie Piotrkowym. – Ratownikowi jeszcze nigdy nie udało się powiedzieć życiorysu.

– W Piotrkowie Trybunalskim – poprawiła Julia.

– Piotrkowie Trybunalskim – powtórzył Ratownik.

– Dwadzieścia dziewięć – poinformowała Julia. – Jestem tu do pięćdziesięciu.

Mimo że wiedziałam o tych spotkaniach, razem zobaczyłam ich dopiero kilka tygodni później. Stałam w korytarzu, czekając na telefon, i jednym okiem zerkałam do pokoju, pilnując, żeby pani Stasia nie zbliżyła się do Karolinki. Nie zwróciłam na nich większej uwagi, mimo że stali blisko siebie, za blisko dla Julii. Oderwałam wzrok od pani Stasi i jeszcze raz popatrzyłam na Julię umęczoną bliskością człowieka, a jednocześnie pełną nadziei.

Julia błyskała białkiem uciekającego oka, bała się tak, że elektryzowały jej się końcówki włosów.

– Pięćdziesiąt – zakończyła odliczanie skoncentrowana i czujna. – A teraz liczę dalej: pięćdziesiąt jeden...

– Dobrze ci w tej fryzurce – powiedział Ratownik. Julia miała resztki włosów obcięte do ucha. Lewe było drobne i kształtne, różowe jak u małego dziecka. Prawego Julia nie miała, odkąd zamiast wydrukować program imprezy PR-owskiej obcięła je nad umywalką. Opowiedziała mi to w dniu, kiedy wróciła od fryzjera.

Mimo że pani Stasia, odkąd opowiedziała swój życiorys, tak naprawdę nie należała do grupy, poświęciliśmy jej więcej czasu terapeutycznego niż weteranom poszkodowanym na wojnie. Mówili, że Królica rozwala im całą hospitalizację.

– Dlaczego to robicie? – zapytałam któregoś dnia, kiedy zachowanie pani Stasi zirytowało Mikołaja do tego stopnia, że przeleżał kilka godzin, opowiadając sobie *Króla Lwa*. – Jest po prostu aspołeczna. Można ją zwyczajnie zostawić w spokoju. Nie trzeba z nią walczyć.

– W spokoju? – powtórzył Mikołaj takim tonem, jakbym zaproponowała, żeby wobec tego polubił Starą Wydrę. – W spokoju? Baba kłamie w żywe oczy! W żywe oczy, a ja mam ją zostawić w spokoju!? – Popatrzył na mnie prawie z nienawiścią. – Sama jest jak pies, człowieka nie widziała z bliska od dwudziestu lat, nikt jej nawet nie dotknął, od takiego czegoś można zwariować. Zwariować! A nam mówi, że u niej wszystko dobrze, niczego by w swoim życiu nie zmieniła. Nie zmieniłaby tego, że od dwudziestu lat nikt jej nie dotknął?

Mikołaj odwrócił się i poszedł poszukać pani Stasi. Siedziała w sali telewizyjnej. Mikołaj otworzył drzwi i stanął w progu.

– Jest pani sama jak pies! – Słychać go było na całym oddziale i chyba również na oddziale zamkniętym. – Nawet nie zadzwoni do tych dzieci, nie zapyta, dlaczego ją zostawiły. Próbuje nam pani wmówić, że wszystko jest w porządku, po prostu ma pani cudowne życie!

Pani Stasia patrzyła prosto przed siebie, coś sobie usiłowała przypomnieć.

– W zeszłym roku była u mnie sąsiadka – powiedziała. – Listonosz pomyłkowo zostawił u niej paczkę dla mnie. Akurat robiłam sobie herbatę, stałam przy oknie w kuchni, czekając, aż woda się zagotuje... Było takie piękne popołudnie, popołudniami zawsze robię sobie herbatę, myślałam, że będzie tak jak co dzień...

– Wszyscy wokół winni. Matka, mąż, dzieci, kto tam jeszcze...? A tak, dyrektor biblioteki, brat, wszyscy, tylko nie ona. – Wchodząc w ostatnią fazę gniewu, Mikołaj mówił do Starej Wydry w trzeciej osobie.

– Są dorośli, wiedzą, co robią. Ja ich nie będę o nic prosić. Dyrektor powiedział, że nie pozwoli mi zrobić kustosza, choć miałam już wszystkie wymagane publikacje...

„Panie Mikołaju, dlaczego tak silnie dotyka pana przypadek pani Stasi? Ogromnie pan to przeżywa. Pan walczy, panie Mikołaju. Nie pamiętam, żeby ktoś tak tu o kogoś walczył. Walczy pan zacieklej niż o samego siebie".

Milczeliśmy razem z Mikołajem. Nagle staliśmy się jednym organizmem, to była ta siła, którą mieliśmy zdobyć, siedząc godzinami w kręgu, nasze ręce i nogi, jeden, bardzo precyzyjny mechanizm oddychania. Zdobyliśmy ją dzięki Królicy? Cisza się przeciągała. Na coś czekaliśmy.

„Może byście się panowie zastanowili, dlaczego walczycie o panią Stasię? Przecież jej nie lubicie, a poświęcacie dla niej własną hospitalizację. Pani Stasiu, jak pani sądzi, dlaczego panowie tak o panią walczą?"

– Mam bardzo dobre życie – powiedziała Królica. – Pięć minut od Opery Leśnej. Przychodzi do mnie sąsiadka albo listonosz...

– Mnie też wkurwa – odezwał się Ratownik. – Wkurwa?

– I mnie – powiedział Saper. – Wkurwia mnie.

– Kurwa, kurwa, kurwa – powiedział Biały.

Na drugie spotkanie umówiliśmy się z Mikołajem w pokoju telewizyjnym. Powiedział, że tam będzie spokojniej niż w jadalni, trudno opowiadać komuś życiorys w jadalni. Kiedy przyszłam, już na mnie czekał. Siedział na swoim zwykłym miejscu, tyłem do okna. Usiadłam na krześle obok, ale powiedział, że wolałby, żebym też usiadła na swoim miejscu, będzie bardziej jak w kręgu terapeutycznym. Jeżeli ma mi opowiedzieć swój życiorys, to tylko w ten sposób, jakby to były zwykłe zajęcia. Możemy przecież założyć, że inni też tu są. Jest Julek, który ma słuchawki na uszach i ogląda telezakupy z wyłączonym dźwiękiem. Najbardziej porąbany z nas wszystkich.

Usiadłam na swoim miejscu, dwa krzesła dalej, na blacie przed sobą położyłam notatnik i długopis.

Milczeliśmy, telewizor chodził bez głosu.

Mikołaj powiedział, że kiedy jego dzieci były małe, wierzyły, że jest prawdziwym Mikołajem. Dlaczego teraz to sobie przypomniał, czekając na mnie? Patrzył w okno i przypominał sobie święta Bożego Narodzenia w czasach, gdy dzieci były małe.

– W naszych stronach mówiło się, że przychodzi gwiazdor, a nie Święty Mikołaj – powiedział. – A i tak dzieci wiedziały, że chodzi o mnie. W ogóle wszystko było inne.

Dotknął kilka razy kieszeni, a potem położył obie dłonie na stoliku przed sobą, jakby chciał je mieć na oku. Tym razem chyba nie zamierzał wyciągnąć kartek z życiorysem.

– Kiedy Mały poszedł do przedszkola, dowiedział się, że są inni Mikołajowie, że to jest tylko imię, które nosi wiele osób. Płakał tak, że zlał się w spodnie. Miał wtedy trzy latka. Julek uśmiechnął się do nas i nie odrywając oczu od telewizora, zapisał coś w telefonie komórkowym. Na ekranie pokazywano samoczyszczący wałek malarski. Pod zdjęciem widniał numer telefonu i szczegóły oferty.

– Podawano na przykład zupę rybną – ciągnął Mikołaj, patrząc w okno. Spod oka pilnował rąk. – A kutii nie znaliśmy wcale.

Przymknęłam oczy, marząc, żeby być w innym miejscu. Za oknem żółkły topole. Wydało mi się, że to zły znak dla mnie i dla Mikołaja, może także dla Julka, jakbyśmy mieli jakiś ograniczony czas i on dobiegał końca. Chciałam wyjść na zewnątrz i jakoś odwlec zbliżający się koniec Mikołaja, a może własny.

– No dobrze – powiedział Mikołaj. – Będę zaczynał.

Chwilę milczeliśmy. Julek uśmiechnął się do nas i uniesieniem kciuka pokazał, że wszystko gra, jest super.

Kupował zestaw noży kuchennych.

Mikołaj założył ręce za głowę, uciekł spojrzeniem w bok i zapytał, czy pamiętam swoje Gwiazdki z czasów, gdy byłam mała. Kiwał się na krześle.

Powiedziałam, że właściwie nie, wszystkie zlały mi się w jeden obraz, ale możliwe, że nawet on jest zapożyczony z książki, a może z filmu. Wydaje mi się, że może pochodzić z *Małych kobietek*, kiedyś była to moja...

– Urodziłem się w maju w 1972 roku – zaczął Mikołaj. Zdjął ręce z głowy, dotknął kieszeni spodni, po czym ułożył dłonie z powrotem na stoliku. – W maju.

Córka jest już prawie dorosła i nie przyjeżdża do domu na święta – mówił. – Wszystko jest inaczej. Nie przyjeżdża, ponieważ on już właściwie nie jest człowiekiem, przypuszcza, że dzieci nie mogą na to patrzeć. – Nie przyjeżdża, bo nie może znieść, że przestaję być człowiekiem. Dzieci kochają mnie, a ja z każdym rokiem jestem mniej człowiekiem. Wiesz, czym jestem? Powiedziałam, że nie wiem.

Mikołaj zniecierpliwił się i powiedział, że nie może rozmawiać z tego miejsca, gdzie siedzi, wydaje mu się, że jest na zajęciach terapeutycznych. Nigdy jeszcze nie powiedział swojego prawdziwego życiorysu podczas sesji. Zmieniliśmy miejsca – siedziałam teraz na wprost telewizora, na ekranie pokazywano rewelacyjnie chłonnego mopa do podłóg ze specjalną wyciskarką.

– Jestem już tylko ciężarem dla swoich bliskich. – Mikołaj sięgnął do kieszeni i wyjął kartki z życiorysem. Rozprostował je na stoliku. – Urodziłem się w 1972 roku, w maju – przeczytał z kpiącym, pełnym politowania uśmieszkiem, jakby robił mi kawał albo chciał sprawdzić, czy ten numer przejdzie jeszcze raz. – W małym miasteczku w Wielkopolsce – ciągnął z tym bolesnym uśmieszkiem. Julek kupił zszywacz elektryczny. – Dzieciństwo miałem takie sobie...

Nie potrafię powiedzieć, kiedy to się zaczęło, nawet teraz tego nie wiem, choć to mój dziesiąty tydzień. Nie pamiętam pierwszego razu, ale w pewnym momencie zaczęło mi się wydawać, że żona jest przeciwko mnie. Nic nie rozumiała. To znaczy – jaki jestem teraz. Nie powiedziałem jej, bo wiedziałem, że i tak nie zrozumie – tego nikt nie zrozumie. Wiedzą tylko ci, co tam byli. Zdarzało się, że chciałem ją uderzyć, mogło się zdarzyć, że ją uderzyłem, fakt. Ona chciała, żeby było tak jak dawniej, przed moim wyjazdem na misję. Nie wiem, dlaczego nie rozumiała, że nie może tak być, skoro ja jestem inny! I co to znaczy – tak jak dawniej? Dla mnie „dawniej" to był jakiś inny świat, z którego wyszedłem, drzwi się za mną zamknęły. Nienawidziłem jej, kiedy tak mówiła. I nie mogłem znieść jej obecności, jej i dzieci. Zacząłem wstawać od stołu podczas posiłków. Nic nie mówiłem, po prostu odchodziłem i zamykałem się gdzieś, gdzie nie mogli mnie znaleźć, spytać: „Co się stało?". Żeby przestali mnie pytać, co mi się stało! I jeszcze nie jestem gotowy, żeby stąd wyjść, bo wiem, że mnie znów o to spytają.

Potem zacząłem wyjeżdżać z domu na dzień, dwa, czasem trzy. Nikomu nie mówiłem, że wyjeżdżam, po prostu wychodziłem. Kiedy dzwonili, nie odbierałem telefonów, nie wiedzieli, gdzie jestem i co się ze mną dzieje. Mówiłem, że chcę być sam, sam, sam.

Kawę wypijałem w łazience, tylko tam mogłem się zamknąć na klucz.

Żona powiedziała, że jeżeli nie pojadę do kliniki, złoży wniosek o przymusowe leczenie. Nie chciałem jechać, chciałem jeszcze posiedzieć w łazience, pobyć sam.

Jezusek od paru dni wydawał się inny niż zwykle, zmizerniał, głowa opadała mu przy byle okazji, jakby pękła sprężyna, dzięki której trzymał ją prosto. Czułam się zaniepokojona, jakby taki wygląd Jezuska był zapowiedzią niebezpieczeństwa, nieokreślonej zmiany w ustalonym porządku rzeczy.

Kiedy zauważyłam, że siedzi z Ratownikiem na skwerku, podeszłam dosyć ostrożnie, ponieważ nadal bałam się weteranów, w tym tygodniu jeszcze bardziej niż zwykle.

Porozmawialiśmy chwilę o tym, co się dzieje z Ratownikiem, że znowu ma kryzys, ja nie przysiadłam nawet na ławce, jakbym się bała, że ten kryzys wciągnie również mnie. Takie zaangażowanie było domeną Jezuska, ja nie stawiałam sobie podobnych wymagań. Chyba wszyscy uznawaliśmy, że to naturalne, że robi rzeczy, których my od siebie nie wymagamy. Było w tym przyzwolenie na mierność naszego człowieczeństwa – nie zabieraliśmy się do tego, z czego zwalniał nas Jezusek.

Jezusek popatrzył na mnie z roztargnieniem, uśmiechnął się i powiedział, że niedługo będzie miał psychodramę, na pewno już to po nim widać, zwykle to widać po ludziach. Nie powinno go to wytrącać z równowagi, ponieważ będzie to jego czwarta psychodrama, na każdą hospitalizację przypada jeden życiorys i jedna psychodrama. On ma ją po raz czwarty.

Popatrzył na mnie z nadzieją. Nie wiedziałam, co powiedzieć, zauważyłam tylko, że często powtarza to słowo, choć wyraźnie tego nie chce, miałam nawet wrażenie, że wypowiadając je, ma kłopoty z oddychaniem.

W klinice kładą na psychodramy ogromny nacisk – powiedział – ponieważ jest to najskuteczniejsze narzędzie w procesie zdrowienia, jeden życiorys i jedna psychodrama. Bez tego hospitalizacja nie jest uznawana za zakończoną. A i tak weterani nie chcą w niej uczestniczyć. Nie można wykręcić się od wygłoszenia życiorysu, ale można odmówić uczestnictwa w psychodramie.

Powiedziałam: „No właśnie, i o co chodzi z tą psychodramą?". Ludzie do niej wyznaczeni robią się spięci, są jeszcze bardziej wybuchowi niż zwykle. Im bliższy jest jej termin, tym bardziej cierpią. I nie rozumiem, dlaczego nie chcą tej psychodramy, skoro jest najskuteczniejszym narzędziem leczenia. W ciągu tygodni, jakie spędziłam na oddziale, nikt nie zgodził się w niej uczestniczyć i nie wiedziałam nawet, na czym ona tak naprawdę polega. Już dawno chciałam kogoś o to zapytać i ucieszyłam się, że Jezusek sam poruszył ten temat. Jezusek długo się zastanawiał.

– Bardzo się tego boimy – powiedział, starannie dobierając słowa, i popatrzył na mnie ze skruchą, jakby żałował, że nie może mi tego oszczędzić. – To rozrywa człowiekowi duszę. Jemu jest trudniej nawet niż żołnierzom, ponieważ nie czuje do nikogo gniewu ani żalu, właściwie nie ma niezałatwionych spraw. Nic mu też nie dokucza prócz tej okresowej tęsknoty za śmiercią.

– Rozrywają duszę? – powtórzyłam z niepokojem. Jezusek nie zwrócił na to uwagi.

A przecież psychodramy są po to, by się rozprawić z negatywnymi uczuciami. Z uczuciami albo z ludźmi. Albo by się pożegnać z kimś, kto odszedł. Dla żołnierzy jest to bardzo dobre ćwiczenie, ma uzdrawiającą moc. Mogą rozprawić się z gniewem, z żalem do dowódców, porozmawiać z ludźmi, których zabili, albo z przyjaciółmi, którzy zginęli, których nie udało im się uratować. Często wracają potem do normalnego życia.

– Ale nie robią tego? – zapytałam. – Nie uczestniczą w psychodramie, chociaż mogą wrócić potem do normalnego

życia? – Też chciałam wrócić do normalnego życia i obiecałam sobie od razu, że wezmę udział w tej psychodramie, jak
tylko przyjdzie moja kolej.

– Czasem chcą rozmawiać z Afganistanem, powiedzieć,
jakim jest chujem, proszę wybaczyć wyrażenie. Albo z Ira-
kiem, czasem ze śmiercią albo z jakąś zmorą, przez którą nie
mogą normalnie żyć. Czasem to robią, ale jest to straszny
widok. – Na twarzy Jezuska odmalował się ból i prze-
strach. – Podobno od tego zdrowieją, ale to jest straszny widok. Czasem chcą się porozumieć z bliskimi, i to jest chyba
najgorsze. Widziałem to kilka razy.

Siedzieliśmy w milczeniu, mierząc się w myślach z tym,
co powiedział.

– A ja nie mam w sobie żadnych negatywnych uczuć –
dodał niemal z troską. – Może mi ta psychodrama w ogóle
nie jest potrzebna?

Siedzieliśmy z Ratownikiem na ławce na skwerku. Ja przysiadłam tylko na chwilę, Jezusek tkwił tam od śniadania, trzymając Ratownika na świeżym powietrzu, w zasięgu wzroku
personelu oceniającego naszą witalność. Ratownik od tygodnia czuł się gorzej, miał bardzo niski poziom żywotności
i jeżeli Jezusek nie wyprowadzał go na zewnątrz, leżał ubrany
na łóżku i patrzył w sufit.

– Troszkę ciężko idzie – przyznał Jezusek. – Biedak
w ogóle nie ma ochoty na przechadzki, ale jutro jest obchód,
powinien mieć na koncie chociaż te spacery. Jak już się roz-
chodzimy, jest zadowolony, mówi, że zauważa drzewa i nie
ma tego buta w ręku. Zaraz znowu pójdziemy. Najgorzej go

namówić, żeby wstał z ławki. To co? Idziemy? – zwrócił się do Ratownika. – Do zagajnika i z powrotem.

Nie chciałam chodzić z Ratownikiem do zagajnika i z powrotem: zanim zauważyłam Jezuska, zamierzałam pójść w stronę rzeki, popatrzeć na nadbrzeżną plamę słońca. Teraz nie chciałam kończyć tej rozmowy. By jeszcze na chwilę zatrzymać Jezuska, zapytałam, z kim będzie rozmawiał podczas swojej psychodramy.

– Jeszcze nie zdecydowałem – powiedział. – Gdybym przynajmniej wiedział, co tym razem zrobiłem źle...

W pracy powiedzieli Jezuskowi, że jest nieasertywny i za mało przebojowy. I że w dzisiejszych czasach trzeba być konkurencyjnym nie tylko na zewnątrz, ale także współzawodniczyć wewnątrz firmy. Jezusek nie rozumiał, co to znaczy.

– Pani wie, pani Grażyno?

Spojrzałam w stronę jasnej plamy słońca wędrującej powoli w stronę rzeki. Pomyślałam, że teoretycznie Jezusek jest do życia bardzo dobrze przygotowany i bardzo dużo wyniósł z pobytów w klinice. Chciałabym, wychodząc, wiedzieć przynajmniej tyle co on. I mieć za sobą przynajmniej jedną psychodramę. Jezusek powiedział, że zwykle mają ją weterani, ale zdarza się, że każą to również robić cywilom. W każdym razie jemu każą.

Zapytałam, czy jego zdaniem każą mnie. Jak myśli?

Popatrzył na mnie z bólem, jakbym kazała mu znowu oddać Marię, i powiedział, że pewnie tak, choć on osobiście wolałby, żeby psychodramy odbywały się jak najrzadziej, choruje po nich kilka dni. Ale będzie trzymał kciuki za to, żebym zdobyła się na ten wysiłek, kiedy przyjdzie moja kolej.

Tak, będzie trzymał kciuki, nawet jeżeli mam do powiedzenia coś strasznego.

– Oglądając psychodramę, czuję się tak, jakbym przez ten czas ciężko pracował fizycznie.

Może dlatego że dla żołnierzy jest to wysiłek fizyczny, okropnie się przy tym męczą. Skręcają się z bólu, a czasem płaczą. Człowiekowi, który na to patrzy, wydaje się, że tego nie wytrzymają, coś w nich pęknie.

– Najgorzej jest, kiedy próbują porozmawiać z bliskimi – powtórzył Jezusek. – Czasem, gdy na to patrzyłem, szła mi krew z nosa.

Zapytał, czy miałam kiedyś psychodramę. Powiedziałam, że nie, jestem tutaj po raz pierwszy, nie mam żadnych dobrych historii do opowiedzenia.

Jezusek przyznał, że on właściwie też nie i że takim osobom jest najtrudniej. Żołnierze mają straszne zmory, ludzi, których zabili niechcący albo specjalnie, wiele strasznych przeżyć. Mają żony, które nie wytrzymały ich wyjazdu na misję i odeszły z ich przyjaciółmi. Jest im o wiele łatwiej przygotować się do psychodramy, wybrać sobie rozmówców, mają swoich krzywdzicieli: żony, przyjaciół, dowódców. My nie mamy się z czym rozprawiać, jesteśmy zwyczajnymi ludźmi, nie wiadomo, co tu robimy.

Trochę się przestraszyłam tego swojego nieprzygotowania, choć wiedziałam, że upłyną tygodnie, zanim przyjdzie moja kolej. Na razie nie widziałam w sobie materiału do psychodramy. Wysunęłam przypuszczenie, że może w ciągu paru tygodni coś znajdę, rozejrzę się w sytuacji. Jezusek powiedział, że bardzo wątpi, czy to się może stać podczas pobytu w klinice, tutaj nie dzieje się nic nowego, trzeba opierać się na tym, z czym się przyszło.

– Nic pani nie ma? – zapytał. – Może jakieś traumatyczne przeżycie, kłopot z dziećmi...?

Powiedziałam, że trochę boję się śmierci, nie wiem, czy to wystarczy na taką psychodramę. I wojny też się trochę boję. Mam z tego powodu niedobre sny, nie wiem, czy takie sny to nie za mało.

Pokiwał głową z troską i przestrachem.

– Mnie zwolnili z pracy, nie wiem dlaczego. – Zrobił ruch do odejścia.

– Więc jak to jest? – Zniżyłam głos i przysunęłam się bliżej, próbując go jeszcze zatrzymać.

Najgorzej wspominał swoją pierwszą psychodramę.

Chciał poprosić na środek sali Marię i z nią porozmawiać, ale ostatecznie tego nie zrobił. Przestraszył się, że wyrządzi jej krzywdę, okaże się nielojalny. Wybrał już z grupy osobę do tej roli, ale zrezygnował w ostatniej chwili. Pomyślał, że nie chce, żeby stała na środku oceniana przez innych na podstawie tego, co on o niej powie. Podczas drugiej próby myślał o tym, żeby poprosić babkę, powiedzieć jej, że został bez mieszkania, to chyba trochę też jej wina, ale przypomniał sobie, że tak jest o wiele lepiej dla kuzyna i jego rodziny. Bał się, że podczas tej psychodramy znów się zdemaskuje i okaże się, że nie zrobił żadnych postępów.

– Wiem, że nie zrobiłem żadnych postępów, nawet nie rozumiem, dlaczego zwolnili mnie z pracy. Domyślam się tylko, że to znowu moja wina. Skoro znowu mam depresję i myślę o śmierci. Prawdopodobnie zrobiłem to co zawsze, ale naprawdę nie wiem, co to było. Chodzi o ten dom w centrum? Oddałem zlecenie koledze, bo się lepiej na tym zna. Ja specjalizuję się w małych lokalach handlowych. Uznałem, że on zrobi to o wiele lepiej, to jego branża. W tym raczej nie ma nic złego? Życie chyba nie polega na tym, żeby cały czas wyszarpywać coś dla siebie?

Wziął Ratownika pod rękę, podniósł z ławki i ruszyli ścieżką wśród rododendronów w stronę topolowego zagajnika. Słyszałam, jak Jezusek mówi: „Rozpoznać własne interesy i stanąć w ich obronie. Interesy innych ludzi nie mogą zaważyć na mojej decyzji. Przypuszczam, że znów tego nie zrobiłem".

Urodziłem się w 1975 roku. Ojciec był zawodowym wojskowym. Jak trzeba było, to potrafił przylać pasem. Dyscyplina musiała być. Ale nie narzekałem, przeważnie mi się należało. Po ogólniaku poszedłem do służby zasadniczej. Mieszkałem z babcią i chodziłem do szkoły. Babcia zmarła. Potem matka zachorowała na raka. Woziłem ją na chemię. Rok był spokój, a potem się znów zaczęło. Znowu woziłem ją na chemię. Odwiozłem ją do szpitala, zmarła w tej samej sali co babcia. To była sala numer dziesięć.

Ożeniłem się, po wielu staraniach udało się nam adoptować dwójkę dzieci, dziewczynka miała trzy lata, chłopiec półtora roku. Oboje po przejściach. Zaraz potem pojechałem do Afganistanu. Byliśmy w małej bazie, może ze dwa tysiące metrów kwadratowych, namioty jedne przy drugich, a sraliśmy do beczki. Wieczorem przyjeżdżali, smołowali beczkę i stawiali nową. Przypadały cztery litry wody na chłopa – do picia i mycia.

Jeden litr na to, żeby się zmoczyć, drugi, żeby się spłukać, dwa do picia. A jak osiemdziesięciu siedmiu ze stu dwudziestu chłopa dostało sraczki, przysłali nam panią major – lekarza weterynarii. Zajęła się kotami, które wyłapywaliśmy i zabijaliśmy, bo takie były zarobaczone, że futra się na nich ruszały. Powiedziała, że chorujemy, bo nie myjemy rąk. Jak wyjechała – zostawiła leki na odrobaczanie kotów. Mieliśmy je łapać i odrobaczać. Ja tam siedziałem w tym gnoju zarobaczony, a moja żona mi się tak skurwiła... No, skurwiła się, i to z kim? Z moim kumplem to zrobiła. Jak się dowiedziałem, zabrali mi broń i tydzień trzymali mnie w baraku. Pojechałem do domu, a on, fajfus, u mnie w mieszkaniu siedzi. Powiedziała, że nie wytrzymała tego czekania. To, że mnie okradła, jest chyba najgorsze. Zadzwoniła do mnie i pyta, czy mi na koncie tysiąc złotych wystarczy, a ja jej całe pięćdziesiąt tysięcy zostawiłem. Wszystko zabrała. Nawet tego tysiąca nie zostawiła. A kutas bije moje dzieci. Synek znowu się jąka. One już dosyć w życiu przeszły, żeby ktoś je teraz bił. Bił moje dzieci! Tego tak nie zostawię. Będę się tak długo leczył, aż wyjdę stąd zupełnie spokojny, żaden sąd mnie nie ruszy. Nikt mi nie odbierze praw do tych dzieci.

Pamiętam dzień, kiedy rzeka się zmieniła. Była teraz ogromna, o wiele szersza niż na początku mojego pobytu w klinice. Zupełnie zmieniłam jej wygląd, zrobiłam to w dniu, kiedy Marek po raz pierwszy nie zjawił się na zajęciach.

Dzień był w ogóle trudny, pełen napięć i jakiejś nerwowości. Co kilkanaście minut nad budynkiem kliniki przelatywał helikopter medyczny i lądował na dachu szpitala, skądś, z bardzo daleka, nadciągał gwizd pociągu. Terapeutka powiedziała, że przez jakiś czas Marka nie będzie, ponieważ pojechał do domu. Trochę pobędzie teraz z rodziną. Musimy zaakceptować ten wyłom w grupie i prawo Marka, by pożegnać się z bliskimi.

Nie wyobrażałam sobie zajęć bez Marka. Dzięki niemu wierzyłam, że moja hospitalizacja się uda, jestem przecież w grupie samouzdrawiającej. Obecność Marka zwiększała moje szanse, choć nie potrafiłabym wytłumaczyć, dlaczego tak się dzieje. Rzadko zabierał głos. Chyba już wtedy zdawał sobie sprawę, że klinika jest dla niego ostatnim miejscem pobytu, ludzie przepływali przed jego oczami, podczas gdy on pozostawał na miejscu. Czasem miałam wrażenie, że nawet nie zawsze uczestniczy w tym, co się dzieje, z roztargnieniem słucha, co mówimy, jakby z naszych słów wybierał tylko takie, które go interesują, a może mają rzeczywiste znaczenie. Bałam się, że my nie znamy wagi słów ani prawdziwej wagi zdarzeń. Nie znaliśmy nawet własnych uczuć, często walczyliśmy nie o to, o co powinniśmy.

Chciałam podnieść rękę i zgłosić nasze nieprzygotowanie, swoją całkowitą niegotowość. I to, że bez Marka nie możemy być społecznością terapeutyczną i stajemy się zbiorowiskiem ludzi słabych i łamliwych, zupełnie zagubionych w tych zmianach, których próbujemy dokonać.

Dlaczego uważałam, że on wie, co rzeczywiście możemy zmienić? W swoim odosobnieniu i bliskości śmierci może powinien widzieć to jaśniej, podobnie jak terapeutka, ona jednak nie chciała nam tego powiedzieć. Mówiła, że sami musimy zrozumieć, co dla nas jest naprawdę ważne. Nic mnie tak nie irytowało jak te słowa. Nadal potrzebowałam kogoś, kto mi to pokaże czarno na białym. A ona mówiła, że przecież nie może tego wiedzieć, wiem tylko ja.

– Chciał spędzić trochę czasu z rodziną – powiedziała piękna Blondynka swoim spokojnym, wyważonym głosem. Było w nim wszystko, czego potrzebowaliśmy: zgoda na to, co nieuchronne, na słabość, na pomyłkę, nawet na odejście Marka, który pojechał pożegnać się z rodziną.

Siedzieliśmy w kręgu w sali terapeutycznej spłoszeni zapowiedzią śmierci, jaką krył spokojny głos Blondynki. Dzień od rana naznaczony był nerwowością, niemal klęską. Adam nie wygłosił swojego życiorysu, nie powiedział nawet, kiedy się urodził, kiwał się na krześle, obejmując rękoma głowę. Ja zmieniałam powoli wygląd rzeki, zastanawiałam się, czy będzie to po mnie widać i czy zdołam to ukryć podczas czwartkowego obchodu. Gwizd pociągu narastał, budził napięcie w Julii. Pachniała wtedy inaczej: mieszanką trawy i skrzypu, które znosiła z łąki i wplatała między pasma złoto-srebrnego papieru na zajęciach terapii manualnej. Lęk najlepiej uwalniał ich aromat, który wchodził w skórę jej dłoni podczas czwartkowej terapii manualnej. Tylko w momentach największego strachu Julii czuć było tak wyraźnie ten zapach zmieszany z wonią kleju stolarskiego i lakieru. W tym roku robiła bombki choinkowe ze styropianu, bibuły i tej trawy. Kiedy indziej pachniała zwyczajnie, dymem papierosowym i waniliową odżywką do włosów.

Julia oddychała coraz szybciej, oko uciekało jej w głąb czaszki czujne i wrażliwe jak instalacja alarmowa. Adam kiwał się na krześle, obejmując dłońmi głowę, bał się nadlatującego świstu prawie tak samo jak Julia. Ktoś poprosił, żeby zamknąć okna, to jest nie do zniesienia, to, jak oni się męczą, poduszą się, przecież widać, że nie mogą oddychać, to dla nich nie do wytrzymania.

– Otwórzmy drzwi!

– Nie wychodzimy z sali – powiedziała terapeutka. – Zostajemy.

Nie wiedziałam, skąd bierze się gwizd pociągu, nigdy nie zauważyłam torów w okolicy, akceptowałam ich niepotwierdzone istnienie tak, jak akceptowałam obecność rzeki. Może dźwięk biegł wodą, szedł z nurtem rzeki, te dwa niepotwierdzone żywioły łączyły się na chwilę, w płytszym miejscu gwizd przechodził na nasz brzeg, biegł przez trawniki, pole golfowe i skwer, żeby trafić w Julię, tak to sobie wyobrażałam. Postanowiłam, że po zajęciach spytam ją, gdzie są tory, może nawet spytam ją, dlaczego tak się ich boi, bardziej nawet niż Adam, strzelec pokładowy. Ale nigdy tego nie zrobiłam, ponieważ pytając o tory, musiałabym powiedzieć, co wiem o rzece. Na razie nie chciałam o tym rozmawiać. Rzeka była mi nadal potrzebna, zauważyłam nawet, że jest mi potrzebna coraz bardziej i staje się coraz większa. Wyobrażałam sobie, że jej nurt potężnieje wzdłuż dalekich, ledwo dostrzegalnych, płaskich brzegów, gnając niepowstrzymanie przed siebie. Wiedziałam, że Lekarz pozna to podczas obchodu, zapyta: „Pani Grażyno, po co pani taki daleki brzeg?".

Gwizd był tuż za oknem, biegł w roziskrzonym powietrzu, odnajdując nasze okna. Julia trzymała końce włosów, jakby chciała zachować kontakt z tym, co najprędzej utraci. Adam kiwał się na krześle.

– Nie wychodzimy, zostajemy. Spokojnie dajemy radę. – Gwizd uderzył w szyby i przycichł, oddalił się jak podmuch wiatru. Terapeutka poprawiła się na krześle. – Panie Adamie – powiedziała. – Wiem, że pan bierze leki, tak jest napisane w raportach. Branie leków oznacza chęć powrotu do zdrowia i normalnego funkcjonowania w granicach pana możliwości. Skąd więc ta niechęć to tej formy leczenia, do terapii, która może panu przynieść najwięcej korzyści? – Adam ukrywał twarz w dłoniach, nie patrzył na nią. – Siedzę tu teraz i zastanawiam się, dlaczego pan tu jest. I czy pan naprawdę potrzebuje mojej pomocy. A jednak pan tu przyjechał. Jak by pan to zinterpretował?

– Żona go przywiozła – odezwał się Biały.

– Który to raz, panie Adamie?

Milczeliśmy, upływały powoli minuty przeznaczone na życiorys Adama. Blondynka długo czekała spokojnie, przyjmowała na siebie ból Adama, była do tego zdolna. Potem powiedziała, że wobec tego przeznaczymy ten czas na inne ćwiczenie – formę psychodramy graficznej. Będziemy malowali.

Przeszliśmy do jadalni, obsiedliśmy stoły i terapeutka od zajęć praktycznych rozdała nam farbki, pędzelki i kartki z bloku technicznego. Blondynka powiedziała, że naszym zadaniem jest narysowanie obrazka pod tytułem „Grupa walczy ze smokiem". Mamy na to piętnaście minut. Potem omówimy treść naszych prac.

Siedzieliśmy przy stołach nad pustymi kartkami papieru, pod oknami ktoś kosił trawnik, choć w godzinach zajęć było to zabronione, szumiała lodówka. Opadło napięcie, jakie odczuwaliśmy w sali terapeutycznej, jakby słowa będące zapowiedzią śmierci Marka zostały w pustym teraz pomieszczeniu, nie zabraliśmy ich ze sobą. Ucichły helikoptery, możliwe, że słychać je było tylko w sali terapeutycznej razem ze słowami terapeutki: „Chciał spędzić trochę czasu z rodziną". Porykiwania kosiarki działały uspokajająco, kojarzyły się z domem i codziennością, jak podzwanianie talerzy w kuchni.

Nadal siedzieliśmy nad pustymi kartkami, ale zrobiło nam się lżej. Szeregowy Mazur powiedział, że może namalować dinozaura, zawsze umiał. Od dziecka bardzo dobrze rysował dinozaury, reszty zadania nie rozumie. Jeżeli ma je wykonać, ktoś będzie mu to musiał wytłumaczyć. Kiedyś już coś takiego było, takie zajęcia inne niż zwykle, kazali mu odegrać krasnoludka, i już się nawet bał, że to się teraz powtórzy. Możliwe, że chodzi o to samo.

– Kazali nam odgrywać krasnoludki, żebyśmy nauczyli się mówić, co czujemy, głąbie. Chcą nas nauczyć, jak żyć poza wojskiem. Nie mam pojęcia, jak się żyje w prawdziwym świecie. Jakbym miał trzy lata, a nie trzydzieści trzy. Mój syn radzi sobie lepiej niż ja.

– Nie mamy o tym pojęcia, czuby. Rysujmy te pierdolone smoki, może to coś da. W ogóle nie rozumiem, o co chodzi mojej żonie, nie możemy się dogadać. Próbowałem już wszystkiego. Czytam, kurwa, poradnik małżeński.

– Narysuję, a Blondyna mnie spyta, co czułem, kiedy to rysowałem, wiem, że spyta. Po to każe nam to robić.

Nie wiem, kto pierwszy sięgnął po pędzelek. Saper powiedział, że jak mamy malować, to malujmy, jest zadanie do wykonania. Nie kombinować, tylko brać się do roboty, Biały dodał: „Kurwa, kurwa, kurwa".

– Mazur, co czułeś, będąc krasnoludkiem?

– Po cholerę miałem wiedzieć, co czuję. Miałem być krasnoludkiem, to byłem krasnoludkiem.

Namalowany przez Ratownika obrazek „Grupa walczy ze smokiem" przedstawia rosomaka, z którego uciekają ludzie. Spod podwozia wydobywają się smugi ognia – to oznacza, że rosomak przed chwilą wjechał na ajdika, w środku są ranni. Wokół stoją w ochronnym szyku pozostałe wozy z patrolu, osłaniając ten uszkodzony. Rosomak stracił dwa koła, które leżą obok wykoślawione i ogromne, nieproporcjonalnie duże. Pojazd jest uszkodzony, ale nadal jest smokiem, grupa nie ma z nim szans.

„Grupa nie walczy – powiedział Ratownik. – Grupa jest pożarta przez smoka. Niektórzy jeszcze się palą, próbują uciekać. Reszta jest już na dobre w jego wnętrzu, będę musiał ich stamtąd wyciągnąć. Ale nie wszystko znajdę. Znajdę but ze stopą w środku. Nie będę wiedział, że ona tam jest, po prostu podniosę but, żeby wrzucić go do worka z rzeczami. A powinien iść do worka z kawałkami ciał. Będę to musiał poprawić".

Szeregowy Mazur narysował drzewo genealogiczne miotane wiatrem. Gałęzie są bezlistne, a drobne ludzkie postaci fruwają wokół razem z liśćmi, panuje chaos.

Długo przyglądaliśmy się rysunkowi.

– Człowiek jest jak liść na wietrze – powiedział Biały. – Trudno o jakieś trwałe wartości.

– Wszystko jest tymczasowe, nawet to drzewo zaraz odleci, ludzi już porwało.

– Człowiek próbuje wrastać, ma korzenie, ale to ułuda, i tak przepadnie.

„Ojciec żony na dożyciu – powiedział szeregowy Mazur. – Inni we wsi się odwrócili. Niektórzy w ogóle ze mną nie rozmawiają, że to z wojny taki dziwny wróciłem, to się boją, normalnie, jak to psychicznego. Jeszcze inni czują złą zazdrość, bo się za te pieniądze z misji poczyniło inwestycje, zbudowało dom, a kredyty też nie byle co, spłacać trzeba. A w jednostce to znów ja czuję się taki obcy, jakbym nigdzie nie przynależał. Albo był kimś zupełnie innym, tam nie pasuję jeszcze bardziej niż gdziekolwiek indziej. Nikogo nie obchodzi, gdzie byłem. Jakbym cały czas był na miejscu albo pojechał nie do Afganistanu, tylko postrzelać do Szerokiego Boru. Jakby to, że się pojechało do Afgana i tam było, wszystko, co się tam robiło, teraz nie miało żadnego znaczenia. Jakby to, że się wyszło sto osiemdziesiąt razy na patrol, nikogo tu nie obchodziło. Więc i tak wszystko przepadnie, a człowiek się już nie pozbiera, wykruszy się jak ten liść i nic po nim nie zostanie".

Biały narysował smoka w postaci wielkiego czerwonego węża leżącego obok skulonej, kukiełkowej postaci w sukience. Głowa węża wielokrotnie od niej większa, znajduje się na poziomie głowy kobiety.

Ktoś powiedział, że to straszny rysunek, nie powinniśmy rysować takich rzeczy, powinniśmy wyznaczyć jakieś granice. Nie widać tu żadnej walki, kobieta nie będzie się bronić, w zasadzie już jest martwa. Jest jak szmaciana lalka, już nie ma w niej żadnego życia. Tylko siedzi i czeka na śmiertelny cios.

– Może wie, że nic jej nie uratuje – wyjaśnił Biały. – Jad uśmierci ją na miejscu.

Terapeutka zapytała, czym jest ten jad.

– Może w ogóle nie wie o niebezpieczeństwie. – Biały podniósł głos. Już wzbierał w nim gniew: był najbezpieczniejszą i najlepiej znaną mu drogą ucieczki. – Może tylko się domyśla. Nie wie nic na pewno. Wie tylko, że coś jest kurewsko nie w porządku. Jest we mnie ten drugi, którego nigdy nie widziała. Ale go czuje, nawet jeżeli ten drugi tak dobrze się kryje. Już trzeci rok.

– Może pan spróbuje nam o tym opowiedzieć. Od czego ta kobieta umrze? I czy naprawdę musi?

– Umrze od tego, czego jej nie powiem – tłumaczył Biały. – Nigdy mi się nie uda.

– Dlaczego pan tego nie zrobi?

Biały długo się namyślał. Oczy mu się zapadły i stał się mniejszy. Wykręcał sobie palce.

– No to, mówię! – powiedział.

„Nie możemy być razem, jeżeli jej nie powiem, co było w Afganistanie. Długo to trwało, zanim zrozumiałem, ze dwie hospitalizacje. Ale jak mam jej o tym powiedzieć? Może: Rybko, kurwa, przysiądź tu na chwilę, powiem ci, co zrobiłem w Afganie? Napijemy się wina, a potem powiem ci, co zrobiłem w Afganie. Albo co tam widziałem. Najbardziej wstydzę się tego, co tam widziałem. Co ludzie robią na wojnie. Czasem przyjeżdżaliśmy na miejsce i zastawaliśmy takie rzeczy... Ten wstyd jest gorszy niż wspomnienie tego, co zrobiłem.

Wstydzę się tego, w czym uczestniczyłem, nawet jeżeli to nie była nasza robota. Ale my też tam byliśmy, należeliśmy do tych, co to zrobili. Wyglądaliśmy tak samo. Jeżeli nie powiem tego żonie, nigdy nie będziemy razem. Już się nie dogadamy. Będzie tak jak teraz, nie wiadomo co. Tylko udaję, że jesteśmy razem: w środku mam tego drugiego i ona nie wie, kim ja teraz jestem. Odtrącam ją codziennie, nie chcę, żeby podeszła za blisko, coś zobaczyła, a ona nie rozumie dlaczego. Myśli, że to jej wina. Pyta, co zrobiła nie tak. Mówi, że zniesie wszystko, tylko nie odrzucenie. Jest silna i chce tylko, żebym do niej wrócił. Tak powiedziała, kiedy tu jechałem. Żebym pojechał do kliniki i w końcu wrócił do niej z tego Afganistanu".

– W przyszłym tygodniu ma pan psychodramę – powiedziała terapeutka. – Może jej pan to powie na psychodramie?

– W życiu! Mogę gadać z Afganem, powiem mu, co z niego za chuj. Już to robiłem. Ale nigdy nie będę gadał z żoną. Może mnie tu pani trzymać sześć miesięcy, a nie sześć tygodni, a tego nie zrobię.

– Może ona wcale od tego nie umrze... Jest pan pewny, że umrze? Może wolałaby prawdę niż życie w niepewności, bez pana.

Na rysunku Jezuska grupa ludzi ucieka przed smokiem. Smok jest opasły i pożądliwy, ale nie chce zjeść ludzi, których goni, chce z nimi chwilę pobyć. Ludzie uciekają w stronę ciemnej ściany gęstego lasu.

– Nie dostaną się tam, to jest zwarta przeszkoda.

– Co się stanie, kiedy dobiegną do tej ściany? Tak naprawdę ona zamyka im drogę, tylko wydaje się schronieniem. To mur.

– Dobiegną i się rozbiją, to fałszywy las.

– Ucieczka nic nie da. W końcu grupa natrafi na twardy mur, dalej uciekać się nie da. Grupa musi się odwrócić i walczyć.

– Muszę przestać uciekać i stanąć ze swoim problemem twarzą w twarz. Nie mogę uciekać bez końca, już prawie nic nie mam. Dłużej nie mogę czekać, muszę zacząć walczyć. Kończą mi się możliwości ucieczki.

– To prawda – powiedziała terapeutka. – Oczywiście może pan przyjść do kliniki ponownie, ale chyba nie tak chce pan spędzić swoje życie? Musi pan zacząć walczyć o siebie.

– Myślę, że tam jest śmierć – powiedział Mikołaj. – Za tą ścianą lasu jest odpoczynek.

Adam, strzelec pokładowy, oddał pustą kartkę.

Myślę, że uda się przeżyć bez tego nazywania uczuć, jest tyle ważniejszych rzeczy. Nie jest tak, że poginiemy, jak się tego nie nauczymy. Pewnie wygląda to różnie u każdego z nas, może niektórym tego brakuje bardziej niż innym, nie wiem – mnie to prawie do niczego nie jest potrzebne. Radzę sobie. Ale chciałbym nauczyć się mówić, co czuję, będąc mężem.

Jest lepiej niż na początku, zaraz po powrocie z misji. Teraz już rozumiem, że to są dwa odrębne światy. Wojsko i świat cywilów... Czasem żona pyta mnie, co do niej czuję. Trochę nie rozumiem, o co jej chodzi. Czy gdybym umiał jej to powiedzieć, byłbym przez to jakiś inny, lepszy? Ona byłaby lepsza? Może byłbym lepszy. Ona mnie czasem prosi, żebym powiedział, co czuję, musi to jej być do czegoś naprawdę potrzebne. Do czego? Ale wiem, że tego jej brakuje, no dobra – to jest cholernie ważne. Tyle przynajmniej rozumiem. Nie wiem, co dalej.

Teraz jestem w świecie cywilów. Nie potrafię w nim funkcjonować, ten świat jest cholernie skomplikowany, nie mam podstawowych umiejętności. W ogóle nie rozumiem, czego ludzie ode mnie chcą, strasznie nawalam, wszystko jest popierdolone. Żona i dzieci chcą ode mnie czegoś innego, mówią, że traktuję ich jak zadanie do wykonania. I żebym powiedział, co czuję. Nie wiem, co czuję, czuję gniew. Mam być ojcem, to jestem ojcem. Czego, kurna, ode mnie chcą?

Tam są radość i łzy, w świecie poza wojskiem. A my tylko zadanie do wykonania i zadanie do wykonania. Mówią: zdobywaj, to zdobywam, nie zastanawiam się, co czuję. Wracamy do domu i nadal chcemy mieć tylko zadanie do wykonania: żeby nie czuć i nie wyrażać uczuć, tylko odwalać kolejne zadania. A to tak nie działa w cywilu. Tam są radość i łzy, a ja się tego boję. Żeby się tam sprawdzić, trzeba umieć co innego niż w wojsku, teraz przynajmniej to rozumiem. Trzeba umieć płakać. W ogóle nie umiem płakać...

Patrzę wtedy na nią, na moją żonę, i nie potrafię się odezwać, a ona ciągle pyta o to samo, co ja do niej czuję i co ja do niej czuję. Już wzbiera we mnie złość, ale milczę, żeby jej nie naubliżać, nie bluzgnąć. Wściekam się, bo wiem, że temu nie sprostam, jakbym był nie w pełni człowiekiem. To musi być dla niej cholernie ważne, nie rozumiem, o co chodzi w czymś, co jest cholernie ważne, jakbym był jakimś niedorozwojem. Czasem próbuję odpowiedzieć, ale nie umiem. Ona myśli, że nic mnie nie obchodzi, skoro nie odpowiadam na takie pytanie. Nie

*rozmawiamy potem przez kilka dni, czasem przeprowadza się
do matki. Nie potrafię tego naprawić.*

Godzina pani Stasi, piąty tydzień.

– Człowiek sobie flaki wypruwa, ludzie sobie flaki wy-
pruwają, próbują coś ze sobą zrobić, aż krew im z nosa
idzie, a kurwa tylko siedzi albo śpi, mówi, że nic jej nie
jest. Dzieci ją zostawiły, powiedziały, że nie chcą jej znać,
ale ona nie! Nic jej nie jest, wszystko jest cacy, „ja nic złego
nie zrobiłam". Ja to pierdolę, wychodzę! Nie będę na to
czasu tracił...

Stara Wydra siedziała sztywno, tupała niemal bez przerwy.

– My tu sobie flaki wypruwamy, flaki! A ona tu jest przez
pomyłkę, zupełnie zdrowa przyszła, trochę tylko tupie, tyle
że aż zębami dzwoni, ale nie! Mnie nic nie jest, nie zmienicie
mnie. – Mikołaj parodiował Królicę, tupiąc, Jezusek w ogóle
się nie odzywał, na czole miał kropelki potu.

– Choćbyście sobie flaki wypruli, mnie nie zmienicie,
nawet się nie przyznam, że coś w życiu schrzaniłam, nie. –
Mikołaj raz po raz wyciągał z kieszeni kartki ze swoim życiorysem, składał je i chował na powrót. Ręce mu się trzęsły. – Mąż mnie opuścił po trzech latach małżeństwa, dzieci
nie widziałam od osiemnastu lat, ale wszystko jest cacy, nic
mi nie zrobicie.

– Wrócił z pracy i zaczął się pakować. W ogóle się nie
odezwał, jakbym nie istniała. A ja zawsze byłam dobrą żoną,
nigdy na niego głosu nie podniosłam, a on wrócił z pracy
i nawet się do mnie nie odezwał...

– To kpiny! Ona kpi sobie z nas...

– Ja nikogo nie potrzebuję, mam dobre życie, pięć minut od Opery Leśnej. Wychodzę do parku, w sezonie urlopowym dają darmowe koncerty, pójdę, posłucham...

Terapeutka patrzyła zafrasowana, nigdy jeszcze nie czuła się tak samotna.

– Woli pani umrzeć w samotności, niż coś dla siebie zrobić. – Mikołaj krzyczał wysokim, piskliwym głosem. – Umrze pani w tym mieszkaniu z czajnikiem i widokiem na park i będzie pani leżeć jak zdechły pies, aż sąsiadka panią znajdzie. Ale ja coś pani powiem: ja na to nie pozwolę! Sama pani nic w swoim życiu nie zmieni, choćby to miało oznaczać śmierć w samotności!

Terapeutka patrzyła z lękiem, twarz miała ściągniętą, o wiele drobniejszą niż zwykle.

„Czy tego się pani boi, pani Stasiu?"

Dużo czasu spędzałyśmy z Julią w sali terapeutycznej, która była również salą telewizyjną, za oknem rozciągał się widok na stare topole, Julia mówiła, że dalej jest nasyp kolejowy. Nad naszymi głowami wisiał anioł z masy solnej wykonany przez Julię podczas drugiego albo czwartego pobytu w klinice. Kiedy ją o to pytałam, zwykle marszczyła brwi i byłby to grymas niezadowolenia, gdyby jednocześnie na jej twarzy, stężałej ze strachu, nie pojawiał się nieśmiały, ujmujący uśmiech. Uśmiechała się i mówiła, że mogła wykonać anioła podczas drugiego pobytu, Karolinka też wtedy była w klinice, a ten anioł to właśnie Karolina. Pamięta, że bardzo się wtedy udzielała na zajęciach manualnych, ale najprawdopodobniej zrobiła to podczas czwartej hospitalizacji; czwarta hospitalizacja była dla niej najbardziej udana. Jeżeli coś osiągnęła, to właśnie wtedy. Miała wówczas świetną pracę, jedną z najlepszych, pracowała w firmie robiącej PR wielkim supermarketom budowlanym. Wykorzystywała znajomość języków, zwłaszcza francuskiego. Miała już renomę i klienci prosili specjalnie o nią, była coraz lepsza. Przywieziono ją do kliniki prosto z biura z powodu oka, przestała widzieć podczas prezentacji strategii dla wielkiej sieci marketów. Gdyby nie to, z pewnością by wygrała, już miała tę sieć w ręku. To był wielomilionowy kontrakt i pomysł był genialny, naprawdę genialny.

Z tamtego okresu pochodzą również jej obrazy, które wiszą w gabinetach do zajęć indywidualnych i na oddziale dziennym. Uśmiechała się ujmująco, od razu wciągając mnie w tamten szczęśliwy okres, kiedy była tak bardzo pogodzona ze swoją chorobą, nawet z tym, że nie zna treści większości swoich obrazów. Nie miałyśmy wstępu na oddział dzienny i nie mogłyśmy ich obejrzeć, szłyśmy więc do jadalni, gdzie wisiały dwa wykonane zimą. Stawałyśmy przed zachodnią ścianą, na której oprócz obrazów wisiały najlepsze prace wykonane z masy solnej, i Julia opowiadała, co przedstawiają.

– Obraz zimowy, Kruszyna mówi, że tak go nazwałam. – Kruszyna była naszą terapeutką od zajęć praktycznych. – Specjalna technika nakładania farby na klejony papier, to daje efekt falowania powierzchni – mówiła Julia.

Przyglądałyśmy się obrazowi z uwagą, obie równie ciekawe nieznanej nam techniki, jaką zastosowała Julia jednej z tych zim widzianych z okna jadalni. Tematyka obrazu nie była dla mnie jasna. Często o tym rozmawiałyśmy i te rozmowy nie sprawiały Julii przykrości, mimo że rozmawiałyśmy o rozmiarach jej upośledzenia, jakby takie powroty i szperanie w kolejnych szpitalnych pobytach dawały jej większe poczucie tożsamości niż samo wydarzenie, które przywiodło ją do szpitala. Lubiła wracać do nich myślą, ponieważ były jej bliższe niż życie na zewnątrz.

– Patrzyłaś wtedy w stronę nasypu? – pytałam, próbując rozszyfrować bieg czarnych linii na klejonej bibule. Trochę przypominały mi twarz Julii.

– Patrzyłam w stronę nasypu? – zastanawiała się, walcząc z lękiem, jakim napawała ją fizyczna bliskość. Jej oddech się spłycał, a oko uciekało w głąb głowy w poszukiwaniu takiego miejsca, gdzie mnie nie ma. Julię to irytowało, ale zarazem dawało jej poczucie przynależności do kliniki, a to było dla niej najważniejsze. Mogła tu wrócić, gdy w życiu na zewnątrz czekała ją kolejna próba. W klinice nabierała sił po załamaniu, wychodziła zdrowsza, wyposażona w leki i podejmowała nowe wyzwanie. Nigdy nie miała trudności ze zdobyciem zatrudnienia. Czasem pytałam ją, czy nie powinna wobec tego zmienić rodzaju pracy, skoro jej organizm tak źle reaguje na stres. Odpowiadała, że jest znakomita w tym, co robi, naprawdę znakomita. Kocha to, co robi, całą tę walkę, presję, jest znakomita we współzawodnictwie, pracy poświęciła wszystko. Bardzo dobrze się jej pracuje, jest coraz lepsza. a potem przychodzi moment, kiedy przestaje widzieć, drętwieją jej ręce i nogi, wie, że za chwilę umrze. Zamiast walczyć dalej, musi jechać do kliniki. Tak było już siedem razy. Ma trzydzieści trzy lata i siedem razy podejmowała pracę. Kiedy przychodzi moment, że ma się sprawdzić, organizm odmawia jej posłuszeństwa, woli wrócić do kliniki.

– Znowu to robię, tak? – pytała z irytacją i odwracała ku mnie twarz, żebym sama zobaczyła, co ona robi. – Nic nie widzę. Boję się tak, że nic nie widzę. Stałyśmy w jadalni, trzymając się za ręce, Julia, prosiła, żebym często brała ją za rękę. Lekarz mówi, że ma się oswajać z bliskością drugiego człowieka.

– Tak, patrzyłam w stronę nasypu – powiedziała. – Może stałam przy oknie. Żeby to tak zobaczyć, musiałabym stanąć przy oknie. Myślisz, że to jest obraz zimowy?

Plakat z aniołem był inny, mimo spisu zakazów tchnął optymizmem i potężną, ukrytą w Julii siłą.

– Jest mój? – dziwiła się Julia, stojąc tak blisko mnie, jak tylko to było możliwe.

Kiedy się poznałyśmy, nie pozwalała zbliżyć się do siebie na długość ramienia, teraz mogłyśmy rozmawiać z bliska, trzymając się za ręce. Julia pachniała dymem papierosowym i odżywką do włosów.

Zajmowałyśmy salę położoną tak blisko palarni, że latem dym papierosowy rozsnuty nad werandą wlatywał przez okno, a jesienią zdawało się, że przesiąka do nas niewidzialnymi szparami w ścianach. Julia czesała przy umywalce włosy w kolorze słomy, mówiła, że zimą zaczną jej gęstnieć, tak jak futro gęstnieje zwierzętom na zimę. Zwykle przychodziła do kliniki na wiosnę, jesienią zmniejszano jej dawki leków. I tak zapamiętałam Julię najlepiej, trochę przesiąkniętą dymem papierosowym, z tego jesiennego okresu, kiedy terapeutka mówiła, że Julia musi skonfrontować się ze swoimi lękami, już pora, nie wiedziałyśmy, co to znaczy. W takich chwilach szłyśmy do jadalni albo do sali terapeutycznej, żeby obejrzeć plakat z aniołem. Nie wiedziałyśmy, co nam to może dać ani nawet czego się spodziewamy, stojąc tak przed dobrze znaną kartką papieru, do której Julia przykleiła anioła.

– Umiesz rzeźbić? – zdziwiłam się, kiedy powiedziała mi, że samodzielnie wykonała plakat.

Wzruszyła ramionami.

– Nigdy tego nie robiłam.

Terapeutka namawiała ją, żeby próbowała przypomnieć sobie te aspekty życia, które nie wiązały się z pracą.

„Czy pani postrzega siebie wyłącznie poprzez sukces zawodowy? Jest pani przecież żoną i matką".

„Jestem żoną i matką – powtarzała Julia. – Nie muszę postrzegać siebie wyłącznie poprzez sukces zawodowy. Nie muszę być coraz lepsza".

Właściwie nie żałowałam, że pani Stasia przestała opowiadać mi swój życiorys, ta sprawa wygasła, mimo że nadal nie wiedziałam, co złamało jej psychikę. Ciągle wychodziło na to, że niezgoda przełożonego na przydział bojlera, nie wiedziałam, czy to możliwe. Przestałam szukać w jej opowiadaniu miejsc zapowiadających istnienie jakiejś luki, wydarzeń, o których pani Stasia zapomniała, a które wywarły na nią tak destrukcyjny wpływ.

– Może coś takiego w ogóle nie istnieje? – zastanawiała się Julia. – Niepotrzebnie upieramy się, że coś takiego musi być. Ludzie załamują się od różnych rzeczy.

Po siedmiu hospitalizacjach Julia wiedziała przynajmniej tyle, że nie wiadomo, gdzie leży granica wytrzymałości i kiedy można ją przekroczyć. Dla każdego jest inna. Może to być śmierć albo odejście kogoś, z kim żyliśmy dwadzieścia lat, nie wiedząc, że jego obecność jest warunkiem naszej poczytalności – Julia znała ludzi, którzy załamywali się właśnie od tego. Albo choroba dziecka – to też było. Nadejście dnia, kiedy nie można już wyjść do pracy, którą wykonywało się z radością przez dwadzieścia pięć lat. Zdarzenie o pozornie niewielkiej sile rażenia, jak śmierć kota.

Pani Stasia przestała mi opowiadać swój życiorys, a ja się go wcale nie pozbyłam. Z czasem pozapominałam życiorysy pełne dramatów, śmierci, wojny, fizycznego bólu i destrukcji, a nie mogłam zapomnieć życiorysu pani Stasi, która nie odebrała bojlera z magazynu i pochowała w ogródku psa.

– Wolę już swoją historię – powiedziała Julia. – Mniej się jej boję.

W ósmym tygodniu swojego pobytu Stara Wydra wygrała z Karolinką w chińczyka. Nic nie zapowiadało katastrofy, wieczór był spokojny. Siedzieliśmy w jadalni i wydawało się, że Karolinka miło spędza czas. Pierwszy zorientował się Biały.

– Widzieliście? – Podniósł się ze swojego miejsca pod ścianą, gdzie cały wieczór grał w czołgistów.

Gra nie była właściwie zabroniona, ale personel kontrolował liczbę godzin spędzanych przy komputerach. Dlatego Biały siedział na krześle plecami do ściany, gdzie nikt nie mógł go zajść od tyłu i zobaczyć, co ma na ekranie.

– Widzieliście, czuby pierdolone? – Podniósł się z krzesła i ruszył w stronę Starej Wydry.

Pani Stasia zbierała pionki z wyrazem zadowolenia na lisiej, chytrej twarzyczce, Karolinka siedziała naprzeciwko niej przy stole i miała już pierwsze objawy szoku. Karolince nie wolno było przegrywać w chińczyka.

– Co ta Wydra zrobiła? – Biały szedł ku nim, roztrącając po drodze krzesła. – Przecież ja jej nogi z dupy powyrywam. Tym razem zabiję babę!

– Jezu – powiedziała Zofia.

Karolinka grała w chińczyka po swojemu, ale sprawiało jej to głęboką radość i było według Lekarza oznaką zdrowienia. Trzeba było jedynie uważać, żeby podczas gry nie zdarzyło się nic zaskakującego, nic, co Karolinka uznałaby za niezrozumiałe lub groźne. Grając z nią, Biały używał tylko jednego pionka, którym poruszał się do przodu, dopóki nie dotarł do mety, ten system najbardziej Karolince odpowiadał.

– Dlaczego pozwoliłem grać tej babie, co mi strzeliło do tego pierdolonego łba? – Stał nad Starą Wydrą, zginając i prostując palce.

Stara Wydra złożyła planszę i schowała ją do pudełka. Patrzyła prosto przed siebie, trochę tupała, ale nie bardzo.

– Dlaczego mam przegrywać? – zapytała ciągle z tym lisim, trochę złośliwym zadowoleniem, jakby osiągnęła ukryty cel. Nie chciało mi się wierzyć, żeby tym celem było doprowadzenie Białego do furii, tego bałabym się najbardziej. – Gram tak, jak umiem. Specjalnie nie będę przegrywać. Ta mała niedziecko, jak ona ma na imię?

– Spokojnie – powiedział Ratownik. – Nie może nas ponieść, bo dowalą nam parę tygodni. Nie będę przez nią siedział parę tygodni. Bardzo dobrze mówię.

Karolinka nieruchomiała coraz bardziej, już w ogóle nie mrugała powiekami, Zofia wpatrywała się w dłonie Białego.

Mnie też wydały się większe niż zwykle, jakby dopiero teraz nadeszła ich chwila, więc rosły w oczach, coraz mocniejsze, przeznaczone specjalnie do bicia. Zofia miała otwarte szeroko usta, ale jej nie słyszałam, więc może wcale nie krzyczała. – Słoneczko, kurwa mać? Słyszysz mnie? – Biały pochylił się nad Karolinką. – Słyszysz mnie, no nie? Zagramy teraz razem, chcesz? – Zaczął układać od nowa pionki na planszy tymi wielkimi, coraz bardziej sprawnymi dłońmi. Zofia bladła i pomyślałam, że właśnie tak musi wyglądać, kiedy przygotowuje się na to, co w domu robi jej spokojny, siwiejący pan w okularach kilka razy dziennie – albo tylko w pewne dni, Zofia mówiła, że to zależy którego roku.

Zofia źle znosiła obecność mężczyzn, nawet jeżeli w ich zachowaniu nie było nic niepokojącego i znajdowali się w odległości kilku metrów od niej. Nawet siedząc w kręgu terapeutycznym, nieustannie ich obserwowała, ogarniając spojrzeniem cały teren i reagując na każdy gwałtowniejszy ruch. Nie dowierzała gwarancji bezpieczeństwa, jaką dawała obecność wielu ludzi, pacjentów i terapeutów. Być może obecność wielu ludzi wcale taką gwarancją nie była. Tego dnia akurat wyjątkowo przyszła na kolację. Obiecałam jej, że będzie zupełnie spokojnie, usiądzie przy bocznym stoliku plecami do ściany, będzie widziała całą jadalnię. Nikt do niej nie podejdzie i nie uderzy jej znienacka, kiedy się tego zupełnie nie będzie spodziewała. Zofia bała się tylko takiego bicia, do którego nie mogła się przygotować.

– Słoneczko, kurwa mać? – mówił Biały proszącą. – Zagrasz teraz ze mną? Chcesz czerwone?

Karolinka nie mrugała, co oznaczało, że czuje się coraz gorzej i lada chwila dostanie szczękościsku.

– Ja się nie denerwuję – powiedział Mikołaj. – Jak się zdenerwuję, to umrę.

– Dlaczego na to pozwoliłem? – W głosie Białego było niedowierzanie i strach, jakby przeraziła go własna niepoczytalność. – Przecież wiem, że baba jest suką. Jest pani suką! – Biały układał pionki, ręce mu się trzęsły, raz po raz wyrywały się do Królicy.

Zofia siedziała bez ruchu, próbując wyglądać inaczej niż zwykle, zmienić się w kogoś, kogo spokojny, siwiejący pan nie rozpozna, to było dla niej gwarancją bezpieczeństwa.

– A dzieciak był już prawie zdrowy! Była już prawie w porządku.

– Gram po to, żeby wygrać, nic złego nie zrobiłam. Nie jesteśmy dziećmi. To oddział dla dorosłych.

– Jezu! – powiedziała Zofia. Karolinka dostała szczękościsku.

– Trzeba nie mieć sumienia! – Biały nadal układał pionki, choć Karolince usta zjechały prawie w całości na prawą stronę twarzy, a uszy nabrzmiały i wychynęły zza osłony jasnych, puszystych włosów niby dwa zaciekawione zwierzątka. – Dziecko wczoraj samo poszło do łazienki.

– Jestem bardzo spokojny – powiedział Mikołaj. – W ogóle się nie denerwuję. – Wziął z blatu deskę do krojenia chleba i uderzył w parapet okienny. Deska pękła, a z parapetu spadła doniczka z prymulką. Ziemia obsypała wózek do przewożenia talerzy.

Trochę przeszkadzało mi, że nie słyszę krzyku Zofii, ale ona często krzyczała zupełnie bezgłośnie, ilekroć zbliżył się do niej mężczyzna. Stara Wydra siedziała sztywno wyprostowana, z lekko przekrzywioną głową i uniesionym podbródkiem, patrzyła prosto przed siebie nadal skupiona i zadowolona z siebie. To Julia zaczęła krzyczeć i sprawiło mi to ulgę, jakby nareszcie coś poszło naturalnym biegiem rzeczy. Z głębi korytarza rozległ się brzęczyk przy szklanych drzwiach odcinających nas od świata zewnętrznego, a potem odgłos szybkich, zdecydowanych kroków.

– Dołożą mi za to ze dwa tygodnie – powiedział Mikołaj. – Dołożą mi za to miesiąc, zawsze dostaję więcej. Znowu rozwaliłem prymulkę.

Myślałam, że to jest koniec pani Stasi, ale stało się inaczej.

– Zacznijmy od początku. – Mikołaj patrzył w ścianę na plakat z aniołem wiszący nad głową Starej Wydry. – Tak nie można tego zostawić. Jak się coś nie udaje, trzeba po prostu zacząć od początku. Zacznijmy od czegoś prostego. Mamusia ściągnęła panią z dachu, ponieważ...

– Chwyciła mnie za warkoczyk, miałam taki krótki, z czerwoną wstążeczką, a drzewa były takie piękne, widziałam przez nie słońce...

– Jezu – powiedział Ratownik. – Tego nie wytrzymam...

– No dobrze, to nie było przyjemne. – Mikołaj nie odrywał wzroku od plakatu. Bladł coraz bardziej, usta mu się zwęziły. Raz po raz przesuwał dłonią po gęstych czarnych włosach. – Mamusia kojarzy się pani z karą cielesną, ale co było dalej? Uczyła się pani dobrze, zrobiła maturę i wyszła za mąż? Czy tak było?

– Mieszkaliśmy wszyscy na strychu, stamtąd było wyjście na dach. Mamusia pracowała u krawcowej, przynosiła do domu resztki materiałów i z tego szyłam ubranka dla dziecka. Potem dostaliśmy mieszkanie, mój mąż, dziecko i ja.

– A potem co? – dopytywał się Mikołaj. Wydawało się, że po prostu ogląda anioła, nawet nie dostrzega Starej Wydry zajęty jakimś problemem z włosami. – Coś się przecież musiało stać... Tylko powoli, nie śpieszmy się, niech się pani dobrze zastanowi, bo ja się tym interesuję ostatni raz. Nie będę tu siedział, tracił czasu na głupoty, ja się muszę leczyć! Czy pani to rozumie? Muszę się do pani przebić dzisiaj, bo inaczej pani umrze w samotności, a ja stracę cały pobyt. Straciłem cztery tygodnie, chcę przynajmniej wyjść w takim samym stanie, w jakim tu przyszedłem. Jestem bardzo spokojny.

– Kobieto, ocknij się, masz siedemdziesiąt trzy lata, za chwilę będzie dla ciebie za późno! Jak długo jeszcze zamierzasz czekać? Nie, ja chyba nie dam rady... Bardzo dobrze mówię.

Ratownik mówił bardzo dobrze od dwóch dni, od swojej psychodramy, kiedy zamknął urwaną stopę w szafie ze sprzętem rehabilitacyjnym. Powiedział, że właśnie to chce zrobić, zostawić ją w sali terapeutycznej dobrze zamkniętą. Wychodzi z sali terapeutycznej sam, szczątki zostają.

Poprawa była wyraźna, ale ciągle jeszcze zadziwiała Ratownika. Jezusek brał go do palarni, mówił: „Dzisiaj jest w programie film sensacyjny, powiedz to". „Dzisiaj jest w programie film sensacyjny" – powtarzał Ratownik bezbłędnie.

„Idziemy do kina na *Wesele w Sorrento*. *Wesele w Sorrento*" – mówił Ratownik.

– Bardzo ładnie umeblowaliśmy mieszkanie – powiedziała Stara Wydra. – Dostaliśmy meble z odrzutu z eksportu, nikt ze znajomych nie miał takich ładnych. Kupiliśmy samochód i pojechaliśmy na wakacje do Bułgarii. W pracy dostałam awans na kierowniczkę działu. Nie wiem, co się potem stało. Z bratem spotykam się cały czas. Żyję pełnią życia.

– A dzieci kiedy pani widziała, a wnuki? Dlaczego do pani nie przyjeżdżają? Może coś trzeba zrobić, żeby przyjechały... Nie chce ich pani zobaczyć?

– Niczego nie będę robić, ja mam sumienie czyste. Mnie jest dobrze tak, jak jest. Widuję się z bratem. Przyjeżdża raz na dwa lata. Idziemy wtedy do teatru, tam jest bardzo dużo ludzi.

Tego dnia Jezusek poszedł z panią Stasią na spacer po raz pierwszy.

PSYCHODRAMA RATOWNIKA

Przedstaw nam swojego przyjaciela, powiedz, kim jest.

Ratownik: Ma na imię Radek, był moim kumplem. Zawsze mogłem na niego liczyć, znaliśmy się od szkoły. Zostawiłem jego nogi w poieździe, który wyleciał na ajdiku, więc ich nie ma. Jest człowiekiem bez nóg. Rok temu powiesił się na klamce.

Radku, jesteś człowiekiem bez nóg, nie żyjesz. Twój przyjaciel wezwał cię tu dzisiaj. Jak myślisz dlaczego?

Radek: Wezwał mnie tu dzisiaj, ponieważ obwinia się za to, że nie mam nóg. Jestem kaleką.

Czy uważasz, że to jego wina?

Radek: Uratował wielu rannych, znajdował wszystkie części. Nie znalazł moich, ale bardzo się starał. Szukał wszędzie, wiele razy. Teraz myśli, że coś urywa mu stopę, raz, dwa razy w tygodniu. Znajduje swój but ze stopą w środku. Chce też być kaleką. Myśli, że to zmyje jego winę.

Co powinien zrobić, Radku?

Radek: Chciałbym, żeby przestał się obwiniać, bo ja i tak nie miałbym tych nóg, nawet gdyby je znalazł. Powinien pozbyć się tego buta, to tylko szczątki, które nie pozwalają mu dalej żyć. Trzeba się ich pozbyć i wyjść z tego psychiatryka. Niech je zamknie w szafie ze sprzętem rehabilitacyjnym.

Ratownik: Chcę się tego pozbyć. Wychodzę z sali sam, szczątki zostają.

Wyjrzałam przez okno i od razu ich zobaczyłam, mimo że na podjeździe stała cała grupa pacjentów z oddziału zamkniętego, których wyprowadziła na spacer siostra Kasia. Niebieskim wolno było spacerować po skwerze odgrodzonym siatką, ale to była świeża grupa nowych, która donikąd jeszcze nie chciała pójść. Trzymali się razem zbici w jasnoniebieskie puchate stadko przy balustradzie podjazdu. Siostra zachęcała ich do zejścia na sam dół, ale woleli pozostać na betonowym podjeździe, jakby ta ogromna przestrzeń ziemi, trawy i roślinności mogła stanowić dla nich zagrożenie, wiały tam nieznane, groźne wiatry.

Jezusek i Stara Wydra spacerowali ścieżką wokół topoli, Jezusek trzymał Królicę pod rękę, wiatr od rzeki rozwiewał jej czarne włosy poprzeplatane pasmami siwizny. Nadchodziła pora tornad, groźna i zarazem przynosząca dziwną ulgę, jakby potrzebne nam było takie szaleństwo natury, by trochę uspokoić nasze własne. Wietrzyłam ją już w tych porywach rozwiewających włosy Królicy i ostrożności nowicjuszy, którym takie wiatry nie mogły jeszcze przynieść żadnej ulgi. Pora tornad oznaczała nadprogramowe wyjścia poza obręb kliniki, przyjmowaliśmy to z wdzięcznością. Woda przyciągała tornada i leje zwykle trzymały się koryta rzeki, wysysając z dna nieznane rośliny i niosąc ryby aż od oceanu. Nie wchodziły na teren parku, ale mimo to kazano nam opuścić budynek i przejść do szpitalnego schronu. Lubiłam myśleć o tym, że idziemy dwójkami, podczas gdy pierwsze wielkie podmuchy niosą już kawałki roślin, gałęzi, blachy i kartonów wyłuskane z zakamarków szpitalnych dziedzińców, może z piwnic budynków gospodarczych. Te plądrujące wiatry były inne niż północne, które znałam najlepiej, jak wygłodzone koty docierały wszędzie. Niebiescy szli przodem ubrani w kurtki, które wydano im z depozytu, podnieceni albo przerażeni wyjściem poza skwer, jakby nawet takie chwilowe i kontrolowane zetknięcie ze światem poza kliniką dla nich mogło się okazać niebezpieczne, nie byli na nie gotowi. Dla nas, ozdrowieńców, było dobrym znakiem, skracało zajęcia terapeutyczne albo przerywało rozwlekłe popołudnia, kiedy Blondynka szła do domu, a w nas odżywały niepilnowane przez nią demony. Te wrześniowe alarmy dawały nam poczucie, że wracamy do normalności, potrafimy funkcjonować poza regulaminem. Już nie jesteśmy tacy regulaminowi, zdarzają się nam rzeczy nieprzewidywalne. Te wiatry przedmuchiwały mi głowę tak, jak przedmuchiwały szpitalne zakamarki, dobrze mi to robiło pod nieobecność Blondynki. Dlatego coraz częściej patrzyłam w stronę rzeki, wypatrując nadejścia pory wielkich wiatrów, mimo że Julia mówiła, że nigdy ich nie widziała, po co opowiadam takie historie? Nie sądzi, żeby jesienią zdarzały się tu takie kataklizmy, a jest tu przecież siódmy raz. To jej kolejny wrzesień w klinice, a niczego takiego nie pamięta, niepotrzebnie ją straszę. Ale Julia zawsze reagowała bardziej na dźwięki, nadlatujące pociągi, podzwanianie szyn. Przyznawała również, że kilku hospitalizacji nie pamięta, z pewnością je odbyła – ma to zapisane w papierach – ale nie pozostawiły po sobie żadnego śladu. Ma za sobą takie hospitalizacje, podczas których w ogóle nie udzielała się na terapiach zajęciowych.

Spytała, czy widziałam kiedyś takie wielkie wiatry porywające domy i ludzi. Powiedziałam, że widywałam je bardzo często chodzące wodą, szukające dobrego zejścia na ląd. A tego dnia wyjrzałam przez okno i zobaczyłam panią Stasię i Jezuska spacerujących wokół topoli.

Nie zrozumiałam tego, co widzę, odwróciłam wzrok, nie godząc się na taki widok. Przestraszyłam się tego, co robił Jezusek. Byliśmy jednolitą społecznością terapeutyczną, która nie pozwalała na takie rzeczy, nie spacerowaliśmy z Królicą wokół topoli. Gdy spojrzałam po raz drugi, stali naprzeciwko siebie, Jezusek trzymał obie dłonie Królicy w swoich, potakując w skupieniu, gdy do niego mówiła. Ale napięcie i ostateczne skupienie miał na twarzy zawsze, jakby nieustannie dokonywał czynów przerastających jego możliwości i wymagających nadludzkiego wytężenia woli. Należały do niego wszystkie nasze cierpienia, ale teraz bał się tego, co robi. Występował przeciwko grupie i był zupełnie sam, poznałam to po jeszcze większym skupieniu malującym się na jego twarzy i jakimś wewnętrznym oddaleniu, jakie widywałam u ludzi gotujących się do walki albo na śmierć. No to kicha – pomyślałam.

I przemknęło mi przez głowę, że dobrze się stało, że tu trafił, ta klinika to jednak dobre dla niego miejsce, dotąd tak nie uważałam. To, że leczył się razem z nami, wydawało mi się czymś głupim, a nawet społecznie szkodliwym. Po co zmieniać ludzi mających taki dobry wpływ na innych? Ale to, co teraz robił, nie mogło mu wyjść na dobre, Jezusek nie miał instynktu samozachowawczego.

– Co z nim teraz zrobią? – zapytałam Julii. Po siedmiu hospitalizacjach miała ogromne doświadczenie w postępowaniu z weteranami i sądziłam, że będzie wiedziała, co teraz spotka Jezuska. Wiedziałam, że weterani nie zgodzą się, by stał po stronie Starej Wydry, jedność grupy to było wszystko, co mieli.

– Myślę, że mu pozwolą – odparła Julia z jakimś porozumiewawczym, trochę chytrym uśmieszkiem i nie chciała powiedzieć, dlaczego tak uważa. Chyba nie miała już ochoty o tym rozmawiać. Zaproponowała mi wyjście do ogrodu po liście klonu: malowała je złotą farbą i robiła z nich bukiety do wazonu.

Z Markiem rozmawiałam prawie wyłącznie o śmierci, i nawet tak wolałam. Nie mogłam być dla niego partnerem w rozmowie, ale o bliskości śmierci wiedziałam dużo, prawie tyle samo co on. Rozpoznawałam ją w sobie dość wyraźnie, aby wierzyć, że to nas łączy.

Raz w tygodniu Marek pojawiał się pod szklanymi drzwiami prowadzącymi na oddział zamknięty i dalej do głównego wyjścia, zdawało się, że na coś czeka. Najczęściej przychodził sanitariusz i dokądś go zabierał, ale zdarzyło się kilka razy, że Marek po kilkunastu minutach zawracał wózek i wjeżdżał do sali męskiej. Działo się to we wtorki, w porze obiadowej.

Nie wiem, dlaczego uważałam, że łatwiej będzie mi nawiązać z nim rozmowę pod szklaną ścianą niż na skwerze czy w jadalni. Co wtorek w porze obiadowej kręciłam się po korytarzu, udając, że moja obecność jest przypadkowa, czekam na telefon albo czytam instrukcję przeciwpożarową.

Pierwsza próba rozmowy była zupełnie nieudana. Przeczytałam całą instrukcję obsługi gaśnicy i o nic Marka nie zagadnęłam. Po drugiej stronie szklanej ściany stał podekscytowany naszą bliskością Dzięcioł z policzkiem przyciśniętym szczelnie do szyby – gaśnica znajdowała się tuż przy drzwiach. Mógłby jej dotknąć, gdyby nie szklana tafla. Potem z oddziału zamkniętego nadszedł sanitariusz, otworzył szklane drzwi i zabrał Marka.

W następnym tygodniu przygotowałam się do spotkania. Na zajęciach Marek mówił o tym, jak oględnie podchodzi do śmierci filozofia zachodnia, nie podsuwa właściwie żadnych odpowiedzi, pozostawiając człowiekowi jedynie wiarę. „Może jedynie święty Tomasz powiedział coś, co mnie przekonuje, co może mieć jakąś praktyczną wartość".

Sprawdziłam w Internecie, co to mogło być, i wyszłam na korytarz kilka minut przed drugą, niemal zderzając się z wózkiem Marka. Stanęliśmy pod ścianą, udawałam, że czekam na pielęgniarkę, mam jej coś do powiedzenia w sprawie Karolinki. W sali telewizyjnej naprzeciwko siedzieli Jezusek ze Starą Wydrą, leciał odcinek *M jak miłość*, ten sam, który oglądali rano.

Marek wcisnął brzęczyk, dając znać w dyżurce, że można po niego przyjść. Przez chwilę czekaliśmy w milczeniu, Dzięcioł pukał do nas guzikiem od piżamy.

– Jedziesz na plastykę? – zagadnęłam.

Marek tak nazywał dopasowywanie protez. Mówił, że są to zajęcia z plastyki, i z początku myślałam nawet, że ma jakieś zdolności artystyczne, zabierają go w jakieś miejsce dla artystów. Odparł, że próbują mu coś doczepić, ale ból jest taki, że chyba zrezygnuje, w skali od jednego do dziesięciu to będzie dziesięć.

– Chcą mi w ten sposób przedłużyć życie, ale to mnie raczej godzi ze śmiercią – powiedział. – Godzenie się ze śmiercią to ciekawa sprawa. Ludzie zwykle źle reagują, gdy o tym mówię.

Staliśmy twarzą do szklanej ściany, po drugiej stronie Dzięcioł wodził dłońmi po obrzeżach tafli, w szalonym pośpiechu szukając dojścia do strony terapeutycznej. Obserwowaliśmy w milczeniu jego próby.

– Myśli, że tu jest lepiej niż tam, gdzie jest – powiedział Marek. – Dziwne, że zawsze tak myślimy. Następny etap w życiu na pewno będzie lepszy od obecnego. Mam nadzieję, że z tą śmiercią nie będzie tak samo...

Dzięcioł znalazł szparę pod drzwiami i próbował wsunąć w nią palce. Z palarni wyszedł Biały, przykucnął pod drzwiami i wsunął palce od swojej strony.

– Pan idzie się położyć, panie Jacku – podniósł głos, żeby Dzięcioł go usłyszał. – Nic się, kurwa, nie da zrobić, no nic. Trzeba wrócić na salę, położyć się. A my cały czas tu jesteśmy, nigdzie nie idziemy. No, nie można się tak męczyć. Co za los, ja pierdolę...

Nie wiem, czy Marek lubił nasze rozmowy, sądzę raczej, że je tylko tolerował. Rozmawiał ze mną, ponieważ mniej więcej rozumiałam, o czym mówi. Ja wiązałam z nim duże nadzieje, choć nie potrafiłabym powiedzieć, na czym one polegają.

Czasem, kiedy patrzyłam, jak buszuje w Internecie albo czyta opracowania o filozofach, odnajdywałam w nim coś znajomego. Marek przygotowywał swoją śmierć, z drobnych elementów budował niemal z czułością jej obraz. Były chwile, kiedy sądziłam, że się na nią cieszy.

Wyszliśmy punktualnie, za piętnaście szósta. Nie było to nasze pierwsze wyjście do teatru. Chodziliśmy na imprezy kulturalne raz w tygodniu i wiedzieliśmy, jak to się robi. Tego dnia ustawiliśmy się przed dyżurką ubrani w kurtki, dzień był wietrzny i zbierało się na śnieg.

Procedura wyjść teatralnych była prosta i zawsze taka sama, mimo to każde wyjście budziło w nas niepokój i strach przed nieznanym. Nie było chyba na oddziale osoby, która w takim czy innym momencie swojej hospitalizacji nie próbowałaby się z tego wymigać. Pamiętaliśmy jednak o tym, że choć wyjścia kulturalne nie są obowiązkowe, Lekarz dowie się, czy bierzemy w nich udział. Świadczyły o naszej żywotności i polepszały nasze rokowania, licząc się nawet bardziej niż spacery na skwerze. Chęć chodzenia do teatru świadczyła o stanie naszego zdrowia psychicznego.

Ustawialiśmy się o określonej godzinie przed dyżurką, wychodziliśmy z budynku i szliśmy na przystanek autobusowy pod szpitalem. Tam kupowaliśmy bilety komunikacji miejskiej. Nie zawsze się nam udawało, czasem kiosk był zamknięty. Była to niedobra chwila, kiedy wyraźnie czułam swoją słabość, a także ogrom tego niejasnego zagrożenia, jakie czyhało za bramą kliniki. Czym było? Ale na ogół staraliśmy się zachować spokój i pamiętać o tym, że bilety można kupić w innym kiosku. Zwykle nawet Zofia mówiła: „Nic się nie stało, nic się nie stało", bardzo pomagała jej myśl, że mamy zieloną kropkę – wolno nam wychodzić bez opieki w godzinach przewidzianych na przepustki.

– Lekarz nie dałby mi zielonej kropki, gdybym nie mogła tego zrobić – mówiła do siebie kojąco. – Jestem w stanie dojechać do teatru, inaczej miałabym czerwoną kropkę. Mam zieloną. Jaką masz?

Wszyscy mieliśmy zieloną kropkę i mogliśmy samodzielnie wychodzić na przepustkę w ciągu dnia, a także pod opieką terapeutki do teatru wieczorem. Lekarz nie puściłby nas w tę drogę, gdybyśmy nie byli w stanie tego zrobić – Zofia miała rację. Kiosk był często zamknięty, ale ktoś mówił: „Kupimy bilety przy dworcu. Nic się nie dzieje. To nic takiego". Takie sytuacje miały jednak swoją wagę, dowodziły, że mimo obecności terapeutki kulturalnej znajdujemy się w rzeczywistym świecie i jesteśmy wystawieni na całą jego nieobliczalność, zdani tylko na siebie.

Mimo że szliśmy w grupie i pod opieką terapeutki, każde z nas docierało do budynku teatru we własnym zakresie, własnymi siłami pokonując kolejne etapy tej drogi – było to indywidualne osiągnięcie. Nigdy nie czułam współuczestnictwa grupy ani też jej odpowiedzialności za mój los. Docierałam do celu zupełnie wyczerpana, w każdej chwili coś mogło mi stanąć na przeszkodzie. Nie wiedziałam, co się wówczas ze mną stanie: Czy jeżeli nie zdołam wsiąść do autobusu, pozostanę na krawężniku? Nigdy nie rozpatrywałam możliwości samodzielnego powrotu do szpitala. Myślę, że nikt z nas, lękowych, nie potrafiłby na tym etapie leczenia wezwać taksówki ani wybrać odpowiedniego autobusu. Mimo tych strachów i wielkich wyzwań docieraliśmy na miejsce, oglądaliśmy spektakl i wracaliśmy do szpitala. Mówiliśmy: „Wracamy do domu".

Tylko w przededniu Święta Zmarłych zdarzyło się inaczej.

Rano sanitariusz zdjął siatkę ze słupków na korcie tenisowym a teraz, pod wieczór, śnieg wyczuwało się niemal w powietrzu. Siostra Irmina powiedziała, że sanitariusz jeszcze nigdy się nie pomylił, od lat zdejmuje siatki w dniu pierwszych opadów, nawet jeżeli prognozy mówią inaczej. Tam skąd pochodził, w Wielkich Górach, prawie wszyscy wyczuwają śnieg w dniu, gdy ma nadejść. Siostra Irmina mówiła to, wypisując przepustki, a ja zastanawiałam się, czy kiosk przed szpitalem będzie otwarty, znowu nie miałam biletów. Rozpatrywałam, co zrobię, jeżeli okaże się zamknięty, oswajałam się z taką możliwością. W myślach mijałam zakratowane okienko i spokojnie szłam dalej.

Tego dnia na wyjście zdecydowali się wszyscy z wyjątkiem Ratownika. Wpisał swoje nazwisko na listę chętnych, ale nie pojawił się na zbiórce i Biały poszedł po niego do sali męskiej. Czekaliśmy pod dyżurką, patrząc w zupełnie ciemne okna. Po tej stronie budynku rozciągała się ta wielka przestrzeń, która budziła moją tęsknotę, nierozjaśniona teraz żadnym światłem, miasto było z drugiej strony.

Kiosk przed szpitalem był zamknięty i wytrąciło to nas z równowagi bardziej niż zwykle. Tego dnia nikt nie powiedział: „To normalna sytuacja, nic się nie dzieje, są inne miejsca, gdzie sprzedają bilety". Wiedziałam, że powinniśmy wrócić. Jednak ustawiliśmy się dwójkami i przeszliśmy przez ulicę, wziąwszy między siebie Ratownika, w takim szyku, jaki obowiązywał podczas alarmów huraganowych, prowadziła nas terapeutka kulturalna. Nie mogłam jakoś zapomnieć o tym, że kiosk był zamknięty, a także o tym, że teraz nie wszyscy mamy zieloną kropkę: Ratownik ma żółtą i wolno mu wychodzić tylko pod opieką terapeutki. To oznaczało, że Lekarz nie jest go tak zupełnie, całkowicie pewny.

Minęliśmy rozległy park całkiem pozbawiony świateł i dla weteranów bezpieczniejszy niż jasne połacie miasta, Julia szła obok mnie. Słyszałam jej płytki oddech, na otwartej przestrzeni miała kłopoty z oddychaniem. Powiedziała, że nie boi się drzew, czy ja boję się drzew? Nie bałam się drzew, na tej drodze bałam się zamkniętych kiosków z biletami, trzymałyśmy się z Zofią pod ręce. Julia chciała iść oddzielnie, mówiła, że musi mieć wolne ręce, na wolnym powietrzu nie wolno jej za nic trzymać. Powoli zbliżaliśmy się do osiedla mieszkaniowego pełnego ludzi i samochodów, tego dnia zaparkowanych ciasno wzdłuż chodników. Dotąd zawsze przechodziliśmy swobodnie między samochodami, może teraz szliśmy o innej porze niż zwykle. Ktoś zapytał, o której jest ten spektakl, czy tym razem wyszliśmy wcześniej, bo jest inaczej niż zwykle, warunki się zmieniły. „Ludzie wrócili z pracy i zaparkowali samochody przy chodniku – powiedział Saper – jest inaczej". Terapeutka kulturalna powiedziała, że nic się nie dzieje, to normalna sytuacja. Możemy wejść między samochody, to zupełnie bezpieczne. Ale tego dnia od początku wszystko było inaczej niż zwykle, mieliśmy ze sobą Ratownika, którego terapeutka trzymała pod ręką, a może chodziło o tę zmieniającą się porę roku. Takie momenty przejścia budziły w nas niepewność większą nawet niż u innych ludzi. Szliśmy środkiem ulicy, trzymając się jak najdalej od samochodów. Pomyślałam, że nie powinni nas wypuszczać z kliniki w dniu załamania pogody, bałam się zmiany pory roku.

Saper z Adamem wyprzedzili terapeutkę, Saper szedł przodem. Te ciasno zaparkowane samochody wystarczyły, by zapomniał o tym, nad czym pracował przez ostatnie dwa tygodnie: żeby iść ulicą i nie wypatrywać porzuconych pakunków, toreb na śmieci, kartonowych pudeł, wszystkiego, z czego wychodzi kabel, szczelin w chodniku. Znowu pamiętał tylko to, że zabezpieczając drogę dla wozów opancerzonych, zajrzał pod przełaz na afgańskiej drodze i zobaczył wiadro z trotylem tuż obok swojej twarzy, z wiadra odchodził kabel...

Adam, strzelec pokładowy, szukał zagrożenia wyżej, na wysokości pierwszego piętra. W oknach bloków mieszkalnych wypatrywał błysków szkieł lornetki, od których odbija się słońce, zdradzając miejsce, gdzie czeka snajper. Obaj wiedzieli, że osiedle jest bezpieczne, jest wieczór, nie ma na nim talibów.

Minęliśmy plac zabaw dla dzieci, piaskownica była pokryta czymś białym, może tym śniegiem, o którym mówił sanitariusz. W oddali między blokami widać już było poblask głównej ulicy, ruchliwe, nagłe wybuchy światła rozrywające ciemność. Wiedziałam, że powinniśmy zawrócić, nikt sobie z tym dzisiaj nie poradzi. Adam rejestrował każdy błysk, czuł go na całej powierzchni ciała, zanim doszliśmy do przystanku autobusowego, dostał ze trzy razy.

– Jezu! – powiedział, kiedy przechodziliśmy przez jasno oświetlony parking przed osiedlowym supermarketem.

Wszyscy baliśmy się supermarketów i terapeutka nawet nie zaproponowała, żeby wejść i tam kupić bilety.

– Dłużej nie mogę – powiedziała Zofia. – Dlaczego nie idziemy chodnikiem? Nie idźmy za tymi ludźmi, oni są nienormalni. Nienormalni, nie widzicie tego? Tu nie ma żadnej wojny! To ja przeżyłam wojnę, oni o niej nic nie wiedzą. Latami siedziałam w piwnicy. Nie wiedzą, jak chodzić, żeby nie było cię widać. Nie mają pojęcia, kiedy ktoś na ciebie poluje. Poluje!

Zbliżaliśmy się do głównej ulicy pełnej błyskających, migotliwych świateł. Kapral Grzegorz szedł ostatni, gwiżdżąc *Marsz torreadorów*. Przed dwoma laty, wyjeżdżając z bazy, otrzymał postrzał w tył głowy i od tamtego czasu nie mógł znieść obecności ludzi za sobą. Obejrzałam się parę razy, widząc, że coraz bardziej zostaje w tyle. Lekarz kazał mu jak najwięcej chodzić, uczyć się nie zwracać uwagi na ludzi, którzy są za jego plecami, i Grzegorz nie opuścił jeszcze żadnego wyjścia do teatru. Maszerował ulicami i wsiadał do autobusów, a potem siedział na widowni z tą gołą, narażoną na postrzały głową, specjalnie nie nosił czapki. Mówił, że wtedy miał na głowie hełm i to go przed niczym nie ochroniło, bez czapki jest mu nawet łatwiej, nie boi się, że kiedy ją zdejmie, w środku będzie pełno krwi. Lekarz powiedział mu, że czapkami zajmą się później.

– Przestań gwizdać – polecił Biały. – Ciary chodzą mi od tego po plecach.

– Nikogo za mną nie ma – powiedział Grzegorz. – To tylko złudzenie. Złudzenie.

Ramię Zofii sztywniało i robiło się coraz lżejsze. Przestała się też do mnie tulić, szukając osłony. Byliśmy już prawie na głównej ulicy. Otworzyłam usta, żeby zawołać terapeutkę – szła przede mną w parze z Ratownikiem. Chciałam jej powiedzieć, że tym razem się nie udało, nie panujemy nad sytuacją, nie zapanuję nad Zofią. I jest wśród nas Ratownik, jeszcze nigdy z nim nie szliśmy, musimy zawrócić. Mimo wszystko najbardziej bałam się Ratownika, tego, co zrobi, jeżeli wymknie się spod kontroli. Terapeutka kulturalna była od niego o połowę mniejsza, była o połowę mniejsza nawet od Zofii, mówiliśmy na nią Kruszyna. Wiedziałam również, że tym razem nie uda mi się kupić biletu komunikacji miejskiej, nie miałam odliczonych pieniędzy. Nie wiedziałam, jak wybrnąć z tej sytuacji ani co się ze mną stanie.

Stanęliśmy na przystanku autobusowym, powietrze jakby pobielało i zrobiło się gęstsze. Nadal trzymałam Zofię pod rękę i wydawało mi się, że trochę się uspokoiła i myśli o czymś innym. Adam z Saperem omawiali drogę przez osiedle, jaką przed chwilą przebyli.

– Cholera – powiedział Adam znękanym głosem.

– Widziałeś? – zapytał Saper.

– Trzy razy – powiedział Adam.

– W piaskownicy. Byłem prawie pewien, że jest. Wiem, że tutaj nic nie ma, ale tym razem byłem prawie pewien. Nieduży ładunek, piętnaście, dwadzieścia kilo.

– Dostałem ze trzy razy.

Zofia cofnęła rękę spod mojego ramienia.

– Nikt do mnie nie podchodzi! – zawołała ostrzegawczo. Rozłożyła ramiona szeroko jak do lotu. – Nikt się nie naraża, podchodząc do mnie. On tu jest!

Grzegorz dotarł do przystanku, wszedł pod daszek i oparł się plecami o szybę.

– Nikogo za mną nie ma.

Zofia jednym skokiem znalazła się na skraju chodnika. Rzuciła się w stronę jezdni, ku otwartej przestrzeni, jedynemu miejscu gdzie nie było spokojnego, siwiejącego pana w okularach.

– Nie podchodzić do mnie! Nikt mnie nie dotyka!

Terapeutka stała z Zofią w bladym kręgu światła, jaki rzucała reklama filmu o miłości, trzymała pod ramię Ratownika. Zaczął padać śnieg.

– On tu jest! – Zofia miotała się raz w jedną, raz w drugą stronę. – Widzi mnie!

– Oddychamy i liczymy od dziewięćdziesięciu w dół – powiedziała terapeutka, ani na chwilę nie puszczając ramienia

Ratownika. – Osiemdziesiąt dziewięć... – Zofia odetchnęła chrapliwie, wypuszczając ustami bąbelki i trochę krwi z przygryzionej wargi. – Bardzo dobrze, oddychamy i liczymy w dół. Osiemdziesiąt dziewięć, osiemdziesiąt osiem... – Osiemdziesiąt osiem – powiedziała Zofia. – No tak, no tak... – dodała jakoś przyzwalająco. – Osiemdziesiąt siedem. Przyjechał autobus numer sto dwa. Wsiedliśmy i zajęliśmy miejsca. Wóz był prawie pusty, a my jechaliśmy zupełnie spokojnie, jakby wszystkie lęki i urojenia zostały na przystanku, i sprawialiśmy wrażenie zupełnie zdrowych ludzi. Nikt w autobusie nie domyśliłby się, patrząc na nas, skąd jedziemy. Przedstawienie było bardzo udane, grano *Metro*. Było pełno świateł i głośnych dźwięków, które nie wywoływały w nas żadnego niepokoju, ponieważ w tak oczywisty sposób przynależały do teatralnego, urojonego świata. Może dlatego Lekarz kazał nam chodzić na te przedstawienia, żebyśmy nauczyli się odróżniać urojenia od rzeczywistości? Myślę, że nie chodziło tylko o to, żebym ja nauczyła się kupować bilety, a kapral Grzegorz siedzieć na widowni z mnóstwem osób za plecami.

Wracaliśmy w dobrych nastrojach z myślą, że wracamy do domu o wiele bardziej zgrani niż w drodze do teatru. Szliśmy szybko i dopiero kiedy mijaliśmy osiedle bloków mieszkalnych, ktoś powiedział, że nie idzie z nami terapeutka, została z Ratownikiem, który kupował papierosy w kiosku z gazetami. Kazała nam poczekać. Stanęliśmy niepewnie koło piaskownicy, w której Saper widział bombę. Teraz nic w niej nie było poza zagubionym wiaderkiem. Wybraliśmy złe miejsce – oświetlony parking przed supermarketem.

Zdawało się, że ta nowa pora roku już gęstnieje, i znów pomyślałam, jakie to dziwne, że pozwolili nam wyjść dzisiaj, takie momenty przejścia zawsze wydawały mi się groźne. Nawet w świecie normalnych ludzi obarczone były czymś nieprzewidywalnym.

Staliśmy na parkingu i spoglądaliśmy na jasne wnętrze supermarketu pełne ludzi, towarów i światła. Naprawdę nie było to dla nas odpowiednie miejsce. W teatrze czuliśmy się prawie dobrze, tak niewiele różniło nas od innych ludzi. Wyglądaliśmy świetnie. Oddaliśmy okrycia do szatni, nikt się nie zdenerwował, kiedy zgasły światła ani kiedy dosiedli się do nas inni ludzie, zajmując swoje miejsca i odcinając nam drogę wyjścia. Znakomicie sobie poradziliśmy, nie przestraszyłam się tłumu podczas przerwy. Wydawało się, że jesteśmy już prawie poczytalni, czegoś nam jeszcze brakuje, ale to da się uzupełnić byle czym, może nawet bez pomocy Lekarza i Blondynki. Kapral powtarzał, że bardzo dobrze się czuje, choć cały czas ma kogoś za plecami. Zofii przedstawienie się podobało, śmiała się i klaskała jak dziecko, jakby wcale nie było tych lat spędzonych w piwnicy, i patrząc na nią, nigdy bym nie powiedziała, że zna spokojnego siwiejącego pana w okularach.

A teraz staliśmy przed supermarketem. Saper powiedział, że jest gorzej niż rano, kiedy próbował tu wejść – w tym tygodniu był to jego cel terapeutyczny. Teraz jest o wiele więcej ludzi, w ogóle nie ma porównania, tłum rozchodzi się we wszystkich kierunkach, nie ma mowy, żeby sobie z tym poradził. Rano pomyślał, że da sobie radę z tymi pudłami w dziale AGD, w dziale elektroniki było pełno kabli, jeszcze więcej kartonów. Dotarł do drzwi, rozsunęły się przed nim, działały na fotokomórkę. Przez chwilę naprawdę sądził, że uda mu się wejść do środka. Teraz to zupełnie niemożliwe. W tym tygodniu to już zupełnie niemożliwe.

– Co tu się stało?

– Jest piątek? Ludzie jeżdżą wtedy na zakupy.

– Jest sobota?

W środku było bardzo dużo ludzi, wydawało się, że o wiele więcej, niż mogły pomieścić samochody na parkingu. Prawie nikt nie wychodził, wieczór dopiero się zaczynał. W dziale AGD obracała się wielka kolorowa kula światła. W alejce środków czyszczących fruwały wypuszczone przez obsługę balony.

– Jest sobota – powiedziała Zofia. – W sobotę ludzie kupują więcej niż w każdy inny dzień tygodnia. Kupują wszystko, rzeczy, których nie kupiliby w żaden inny dzień. Robiłam kiedyś takie badania. Jestem socjologiem – przypomniała sobie.

Patrzyliśmy przez wielkie szyby do środka. Ludzie kupowali wszystko, wymieniali pieniądze zarobione w tygodniu na to, co leżało na półkach, tylko część z tego była im naprawdę potrzebna. Wkładali do koszy rzeczy, których nie kupiliby w żaden inny dzień tygodnia, prawie nikt jeszcze nie wychodził.

– Gdybym miał te pieniądze, które wydałem na wódkę... – powiedział Biały.

– Może będzie jakieś święto – powiedziała Zofia. – Przed świętami kupuje się najwięcej. Ludzie boją się świąt.

Ale to my baliśmy się wielkich sklepów. Baliśmy się nadmiaru, biegnących równolegle alejek, konieczności nieustannych wyborów, pudeł, kabli i ludzi idących z naprzeciwka, a ja również tego, że w sklepie jest więcej ludzi, niż mogły pomieścić samochody na parkingu.

– Znicze dwukolorowe, okrągłe, płaskie – przeczytała Julia. – Trzy pięćdziesiąt opakowanie.

Ludzie robili zakupy przed Świętem Zmarłych.

– Może się boją, że potem już nie będzie sklepów. Baliście się tak kiedyś?

– Bardzo dużo ludzi boi się supermarketów.

– „Promocja: telewizory HD, raty zero procent. Z nami biegniesz w czołówce".

Ekspedient w żółtym uniformie szedł wzdłuż kas, niosąc nowe balony. Wielka kula światła w dziale AGD pękła, rozrzucając konfetti.

– To pułapka – powiedział Saper. – Musimy stąd odejść.

Ale nie mogliśmy się ruszyć bez terapeutki i Ratownika. Przeszliśmy kawałek dalej i stanęliśmy na miejscu dla inwalidów.

– W życiu tam nie wejdę. Blondynka powiedziała, że powinienem spróbować. Nigdy mi się nie uda.

Julia czytała napisy na banerze.

– Zmywarka Bosch. Teraz będziesz miał czas dla najbliższych. Pięćset dziewięćdziesiąt, dziewięćdziesiąt dziewięć.

– Gdybyście wiedzieli, ile ja pieniędzy wydałem na wódkę...

– Boję się tych napisów – powiedziała Julia.

– Wiem. – Wzięłyśmy się za ręce.

– „Top 20, ranking najlepszych menedżerów. W najnowszym numerze. Z nami zawsze jesteś o krok do przodu".

– A jeżeli ona nie wróci? – zapytała Zofia. – Zostaliśmy sami. Ja nie dam rady. – Zebrała włosy i zwymiotowała do kratki wentylacyjnej.

– Ryba po japońsku – przeczytała Julia. – Pojemnik dwieście pięćdziesiąt gramów, osiem pięćdziesiąt. Smak dalekich podróży.

Nagle poczułam, że rozumiem Zofię. Przykucnęłam obok niej przy klatce wentylacyjnej.

– Oferta sieci komórkowej. I już zawsze jesteś z bliskimi, dajemy ci nową jakość życia.

W środku błyskały światła i neony, w dziale AGD rozdawano kupony rabatowe. Co chwila ukazywały się nowe oferty promocyjne, było coraz taniej i bardziej kolorowo, ktoś znów wypuścił balony. Nawet z tej odległości i przez dźwiękoszczelne szyby czuło się nastrój wyjątkowości i chęć chwytania życia na gorąco.

– Tunezja od tysiąca ośmiuset – przeczytała Julia. – Tylko my damy ci smak prawdziwej wolności. Biuro podróży Dal.

– Gdybym miał te pieniądze, co wydałem na wódkę... Mógłbym jeździć na takie wycieczki, robić takie zakupy, miałbym wszystko.

Saper powiedział, że nie podoba mu się miejsce, gdzie stoimy. Ale miejsce było bardzo dobre, widać było wszystko, co działo się w środku, i pomyślałam, że już chyba tylko w ten sposób możemy uczestniczyć w tej afirmacji życia, która odbywała się w supermarkecie. Mimo wyjścia do teatru nikt z nas nie czuł się na siłach, by wyzdrowieć i chodzić do takich sklepów.

– Gdybym miał te pieniądze, co wydałem na wódkę, miałbym na sześć takich wycieczek. Myślę, że mogłem wydać na wódkę z osiemnaście kawałków, a potem jeszcze te siedem za poturbowanie policjanta...

Staliśmy zbici w gromadkę na miejscu dla inwalidów.

– Jeżeli kiedyś uda mi się wejść do supermarketu i nie ześwirować, to się chyba upiję – powiedział Biały. – Będę zupełnie szczęśliwym człowiekiem.

Kiedyś piłem dwa miesiące bez przerwy, nie myślałem, że tyle dam radę. Z kumplem z wojska, u niego w pracy, pracował w magazynie odzieży roboczej. To było między trzecią a piątą zmianą w Afganistanie. Zaczęliśmy któregoś dnia wieczorem, zrobiliśmy przerwę rano, potem znowu zaczęliśmy i piliśmy do wieczora. Ryje nam spuchły jak banie. Nie pamiętam, żebyśmy coś jedli: piliśmy, zasypialiśmy, a po obudzeniu piliśmy znowu. Kiedy zaczynaliśmy śmierdzieć, przebieraliśmy się w nowe ciuchy – kumpel pracował w magazynie odzieży roboczej. Któregoś dnia zobaczyłem się w lusterku w klopie na zapleczu i pomyślałem, że mam dość, trzeba z tym skończyć. Wyszedłem i zapisałem się do Afganistanu.

Nigdy nie zrozumiałam, dlaczego weterani pozwolili Jezuskowi opiekować się Starą Wydrą. Julia chyba wiedziała, ale nie chciała mi tego wytłumaczyć. Mówiła tylko, że mają słabość do dzieci i starych ludzi, zawsze tak było. Nie uznałam tego za dobre wytłumaczenie.

Biały miał słabość do starych ludzi, mówił, że to przez to, że babcia umarła mu na rękach. Umarła i potem już zawsze tak miał, a na wojnie chyba mu się jeszcze, kurwa, pogorszyło. Na wojnie starzy ludzie mają najgorzej. Słabość

Białego objawiała się w jego stosunku do Karolinki, a także do pana Zbysia, który miał dziewięćdziesiąt trzy lata i nie potrafił już zadbać o siebie. Kiedy przychodził na posiłki, Biały wstawał od komputera, nawet jeżeli akurat wygrywał w czołgistów, i szedł nastawić wodę na herbatę, a potem mył kubek pana Zbysia. Nie obejmował tą ochroną Starej Wydry, jakby stanowiła inną kategorię starych i upośledzonych, ale nie zaczepiał Jezuska, kiedy ten co wieczór grał z nią w warcaby. Siadywali zawsze przy tym samym stole, Królica zupełnie obojętna na swoje otoczenie, Jezusek skupiony na tym, co robi. Po zajęciach chodził z nią na spacery, nie wiem, czy z litości czy z jakichś innych Jezuskowych pobudek. Siadali przy jednym stole przy posiłkach, wieczorami rozgrywali dwie partyjki, a potem odprowadzał ją do sali telewizyjnej albo stawał z nią przy szklanych drzwiach. Pani Stasia opowiadała mu swój życiorys, wszyscy to widzieli. Mijali ich ludzie idący do łazienki, do palarni, do sali telewizyjnej...

— Wyszłam na dach w taki słoneczny, piękny dzień. A sukienkę miałam taką z falbanką, patrzyłam na drzewa, nigdy potem nie były już takie piękne...

Jezusek słuchał, skupiony i bezbronny, właściwie już pogodzony z konsekwencjami tego, co robi. Miałam wrażenie, że te konsekwencje nie są dla niego takie ważne. Znów pomyślałam, że z Jezuskiem nie wszystko jest w porządku.

Staliśmy przy lodówce, czekając, aż woda się zagotuje. Byłam trochę zniecierpliwiona postępowaniem Jezuska.

— Po co pan to robi, panie Krzysztofie? Przecież chyba nie lubi pan tego życiorysu?

Powiedział, że życiorys zna na pamięć, rzeczywiście, to bardzo przykre, ale czuje się świetnie, jest zupełnie spokojny, ma tylko wrażenie, że zrobił się większy niż zwykle.

– Jakbym nagle urósł. Wiem, że doskonale mnie widać. Właściwie z każdego miejsca. Jak długo to jeszcze potrwa?

Uśmiechnął się i poszedł poszukać pani Stasi. Zbliżała się pora przepustki, a Jezusek starał się, by Stara Wydra spędzała poza kliniką cały czas, jaki nam przysługiwał za murami. Najczęściej widywałam ich w szpitalnej kawiarni. Siedzieli przy małym stoliku w rogu i Stara Wydra opowiadała swój życiorys, patrząc gdzieś obok, jakby Jezuska w ogóle nie było.

Ich widok sprawiał mi ulgę. Mimo że walczyliśmy o zmianę, potrzebowałam niezmienności Jezuska, czwartkowego obchodu, cyklicznego jadłospisu, czegoś trwałego.

Jesienią Marek dużo opowiadał o książce, którą czyta – *Życie i nauki mistrzów Dalekiego Wschodu*, opracowanie dziewiętnastowiecznych badaczy brytyjskich.

– Ciągle ciekawi mnie świat – powiedział niemal z żalem. – Wszystko, co się w nim dzieje. Wolałbym, żeby to już minęło. Kiedy to minie, będę spokojniejszy.

Sprawdziłam, co o Marku było napisane w Internecie.

Studiował psychologię i historię religii, znał obce języki, interesował się filozofią. W 2008 roku pojechał na misję do Afganistanu jako żołnierz jednostki specjalnej. Po kilku miesiącach żołnierze zauważyli u niego niepokojące objawy: wycofanie, chwilową utratę kontaktu z rzeczywistością, trudności w nawiązaniu rozmowy. Kilka dni później, podczas ostrzału nieprzyjaciela, wyszedł z pojazdu opancerzonego po rannego kolegę, choć musiał wiedzieć, że jest to misja samobójcza. Wybitnie zdolny żołnierz, który nie wytrzymał presji, jaką niesie z sobą wojna.

Zapytałam Marka, czy czytał o sobie w Internecie. Napisano tam, że nie przyjął Gwiazdy Afganistanu, którą przyznano mu za nienaganną służbę. Tego nie rozumiałam.

– Skoro tak ci zależało na armii...

Podał mi *Życie i nauki mistrzów Dalekiego Wschodu.*

– Tak to wygląda – powiedział. – Nie wiem, czy dostaniesz to w jakiejś księgarni. Możesz spróbować na Kredytowej. Ale myślę, że najprędzej w Internecie.

Innym razem opowiedział mi, jak się zamyka takie życiowe sprawy, kiedy już się nie ma ochoty żyć albo nie jest się do tego zdolnym.

– Nie wiedziałem, że tak łatwo mogę ją stracić, jakby to była tylko chwila nieuwagi. Ani że tak łatwo przejdę granicę, kiedy będzie można mi pomóc. Mam wrażenie, że nie uważałem tylko przez chwilę.

I czasem coś się w nim szarpnie, jak choćby ta ciekawość świata. Wie, że jeszcze jej nie przezwyciężył, jest za wcześnie, by wyłączyć Internet, dlatego na razie nawet nie próbuje. Kiedy wyłączy Internet, przyjdzie ta prawdziwa samotność.

– Kiedy oddam laptopa, to będzie znaczyło, że jestem prawie u celu. Na razie to jeszcze niemożliwe. Jaka szkoda, że nie można wyłączyć umysłu, kiedy człowiek przestaje sobie z czymś radzić, powinien mieć taką zdolność. Likwidacji obrazów, jakie się w nim zalęgły, jak wirusa w laptopie.

„Tak, to chyba to – powiedział. – Sam chcę wyciągnąć wtyczkę. Życia nie da się kontrolować, to już wiem, ale śmierć? Kto wie..."

Podczas swojej psychodramy szeregowy Mazur wyprowadził z sali zmiażdżonego rosomaka, w którym był żołnierz ranny w brzuch. Powiedział, że już musi sobie pójść, rozstają się. „Odchodzę od ciebie – powiedział Szeregowy. – Chcę się pożegnać".

PSYCHODRAMA SZEREGOWEGO MAZURA
Przedstaw nam rosomaka. Powiedz, kim jest.
   Szeregowy Mazur: Jest martwy. Ma w sobie szczątki ludzkie, flaki, wnętrzności, które zjadają koty. Cuchnie rozkładającym się ciałem.
   Rosomaku, śmierdzisz, masz w sobie trupy, szczątki, które roznoszą koty. Co powiesz temu żołnierzowi?
   Rosomak: Podchodzisz do mnie, zbliżasz się ze strachem. Wiesz, co znajdziesz w środku. Mam dla ciebie rannego. Dowódca woła: Do rannego!, a ty już jesteś na miejscu, zjawiłeś się pierwszy.
   Wezwałeś tu dzisiaj rosomaka, co chcesz mu powiedzieć?
   Szeregowy Mazur: Chciałbym móc się z tobą zamienić, jesteś już martwy. Nie musiałbym z ciebie nikogo wyciągać. Nie musiałbym być pierwszy. Mógłbym już nie wracać do domu. Zamiast mnie wróciliby inni. Chcę, żeby wszyscy stamtąd odeszli.

Godzina Królicy, siódmy tydzień.

– Z bratem się spotykam, wcale nie jestem odludkiem. Wnuk do mnie napisał. Nie mogłam odpisać, bo nie podał adresu. To była kartka świąteczna. Trzy, może cztery lata temu. Nie będę nikogo prosiła o wybaczenie, bo nie ma czego wybaczać. Zawsze byłam dobrą matką, ale mąż przeciągnął dzieci na swoją stronę. Przyszły na Wigilię, z nim się przywitały, a mnie powiedziały, żebym zdechła pod płotem, tak mi powiedziały, nie wiem za co. To on zwrócił je przeciwko mnie, nie wiem, co im powiedział. Są dorosłe, wiedzą, co robią.

„Grupa chyba próbuje pani powiedzieć, że trudno jej zaakceptować pani postępowanie. Że tutaj staramy się mówić prawdę, ponieważ wszystkim nam jest to potrzebne, pracujemy razem. Grupa stara się pani powiedzieć, że tutaj obowiązuje szczerość. Co pani czuje, słuchając tego, co mówi grupa? Słuchała pani pana Mikołaja?"

– Nie wiem. Który to?

Terapeutka patrzyła zafrasowana.

„Grupa chyba próbuje pani powiedzieć, że nie wierzy w pani wersję wydarzeń. Że musiało w pani zachowaniu być coś, co sprowokowało taką reakcję pani dzieci i męża, i że pani nerwica tkwi korzeniami w pani postępowaniu..."

– W zeszłym roku przyszła do mnie sąsiadka. Pamiętam bardzo dobrze ten dzień, robiłam sobie herbatę, patrzyłam przez okno na słońce, kiedy usłyszałam dzwonek, myślałam, że to coś w radiu. Bardzo często słucham radia. Myślałam, że coś się w nim zepsuło. Ale to był dzwonek do drzwi.

– Kiedy to było? – zapytał Ratownik. Bardzo dobrze mówił. – W 1990? Ktoś do pani przyszedł dziesięć lat temu, tak?

Ale często pani widuje ludzi, raz na dziesięć lat ktoś wpadnie... A pamięta pani swój pierwszy tydzień tutaj? Pomyślałem: starsza kobieta, trzeba się będzie nią trochę zająć. Chciałem rozwalić sobie głowę o ścianę, miałem zły dzień, prawie wcale nie mówiłem, ale pomyślałem, że trzeba pani ułatwić pobyt... A co pani zrobiła?

– W zeszłym roku, a wnuk napisał do mnie trzy lata temu, był już dorosły, nie podał adresu, więc nie mogłam odpisać, bardzo często widuję ludzi. Jak wrócę, spodziewam się listonosza.

– Ostatni raz w 1990? – krzyczał Mikołaj. – W 1990?

– Kurwa, kurwa, kurwa!

– To był dzwonek do drzwi, więc poszłam otworzyć. W zeszłym roku. Zamówiłam leki w aptece wysyłkowej i obliczyłam, kiedy przyjdą, spodziewałam się ich następnego dnia. Ale to była sąsiadka. Przyniosła mi tę paczkę, której się spodziewałam, zostawiła ją na wycieraczce. Listonoszka się pomyliła, wcale do mnie nie zajrzała, zostawiła ją u niej. Sąsiadka niepotrzebnie ją przyjęła, paczka była zaadresowana do mnie. Wyraźnie było napisane, wszystko dobrze sprawdziłam, wszystko się zgadzało. Nazwisko, adres, kod pocztowy. Przyjęła paczkę, która nie była dla niej. Nie powinna tego robić, to ja spodziewałam się listonoszki. Zawsze tak miło pytała, co u mnie słychać. Zawsze na nią czekałam. Pamiętam, jak któregoś razu podawała mi długopis, żebym pokwitowała odbiór, i niechcący drasnęła mnie paznokciem. Pogładziła mnie tak mile po ręce i sprawdziła, czy nic mi się nie stało. Pogłaskała mnie po ręce.

– Boże – powiedziała Zofia. – Boże, Boże...

Jezusek siedział wciśnięty w kąt przy szafie z twarzą tak skupioną, jakby coś obliczał, za wszelką cenę potrzebował spokoju.

– Kurwa – powiedział Biały. – Kurwa, kurwa.

Zabiłem człowieka. Zrobiłem to z radością. Byłem z tego dumny. Cieszyłem się, gdy do niego strzelałem. I tego najbardziej nie mogę znieść. Przedtem nieraz otwierałem ogień, na pewno kogoś zabiłem. Tak, myślę, że na pewno zabiłem. Ale tamtych ludzi nie widziałem i nie czułem tej radości, raczej strach. Tego widziałem dokładnie. Byłem już w domu, kiedy po raz pierwszy stanął mi w oczach, po prostu go zobaczyłem w nocy. Coś mi się śniło, otworzyłem oczy i on tam był. Myślę, że w moim wieku, około trzydziestu lat. Z brodą, powiedzmy, że nie był cywilem, był uzbrojony, choć w Afganistanie wszyscy są uzbrojeni i ubrani jak cywile. Mierzył do mnie, był sam jeden. Złożyłem się pierwszy. Cieszyłem się, że mogę to zrobić, bo w poprzednim tygodniu gnoje zabili mojego przyjaciela. Wjechał na ajdika. Urwało mu cały tył nóg, od tyłka po pięty. Mój strzał był pierwszy, chwilę później waliliśmy wszyscy z wszystkiego, co mieliśmy. To była zasadzka, z talibów, co tam byli, nie został jeden żywy. Wybiliśmy wszystkich do nogi. Wróciliśmy do bazy i się cieszyliśmy z tego, co zrobiliśmy.

Najczęściej wydawało mi się niemożliwe, by Stara Wydra chciała przynależeć do naszej grupy. Lada dzień spodziewałam się, że poprosi o wypis ze szpitala i sobie pójdzie. Ale czasem wydawało mi się, że jej obecność ma jakiś głębszy sens, którego nie dostrzegamy.

– Gdyby mnie coś takiego spotkało, wypełzłabym przez dziurkę od klucza – powiedziała Julia. – Wolałabym codziennie leżeć na torach.

– Dlaczego więc tu jest? – Nie rozumiałam, dlaczego znosi upokorzenia i nienawistne ataki, obelgi i oskarżenia. Czasem miałam wrażenie, że odpowiada jej nasze zainteresowanie, obojętnie, w jakiej postaci je otrzymuje, ale nigdy nie przyszło mi do głowy, że może się czuć wśród nas szczęśliwa.

Teraz myślę, że chodziło jej o jakikolwiek kontakt z drugim człowiekiem, ponieważ wszystko było lepsze niż życie pięć minut od Opery Leśnej, mieszkanie z balkonem, spacery i darmowe koncerty. Lekarz wcale nie miał nadziei jej wyleczyć, być może nawet nie próbował. Ofiarował jej po prostu kilkanaście szczęśliwych tygodni – taki prezent. Zawsze wiedział, czego nam najbardziej potrzeba.

– Myślisz, że to eksperyment? – zapytałam Julii. – Jest z nami, żeby nam pomóc?

Patrząc, jak Julia waży w myślach odpowiedź, nagle nabrałam przekonania, że tak, Ratownik ma rację, jesteśmy poddawani eksperymentowi, to oczywiste. Stara Wydra jest podstawiona, Lekarz zawsze wiedział, czego nam najbardziej potrzeba. Czegoś nie potrafimy zrobić sami, więc dali nam ją, żeby uruchomiła w nas te moce, o których zapomnieliśmy. Inaczej przecież nie pozwoliliby nam dręczyć pani Stasi, ktoś, Lekarz albo Blondynka, położyłby temu kres.

„Jest podstawiona – krzyczał Ratownik w sali terapeutycznej, uderzając pięścią w plastikowy stolik, który wysuwał się z krzesła – niemożliwe, żeby ona była prawdziwa. Ktoś tak popierdolony nie istnieje. Grubo przesadziliście! – Pogroził Blondynce. – To jest oddział psychiatryczny, ale grubo przesadziliście. Skąd ją wytrzasnęli? – Zwrócił się do grupy: – Nie wierzę, żeby ona była prawdziwa. Chcę zobaczyć jej kartę chorobową, inaczej nie będę tu z nią siedział. – Wysunął stolik, grzmotnął w niego pięścią i schował z powrotem. – Wchodzę do tej sali i nie wierzę własnym oczom, co rano wchodzę i nie wierzę! Wstaję rano i myślę, no nie, znowu mi się śniło, a potem tu wchodzę, i widzę, że nie, wcale mi się nie śniło! Diablica siedzi tu sobie jakby nigdy nic, siódmy tydzień mówi, jakie ma piękne życie, w ogóle nie wie, po co tu jest. Znowu więc myślę, że to mnie całkiem pokręciło, coś tu okropnie nie gra. Bardzo dobrze mówię, w ogóle się nie zacinam, myślę jasno, przypomina mi się mnóstwo wiadomości, które kiedyś miałem, znam wszystkie słowa, ale to mi się nie mieści w głowie. Będę tu jeszcze pięć tygodni, piętnaście tygodni, możecie mnie tu trzymać piętnaście tygodni, zrobicie mi jeszcze dwie psychodramy, poprawi mi się tak, że będę cały cacy, wierszami będę mówił, a tego dalej nie będę rozumiał. – Ratownik wysunął stolik, uderzył w niego pięścią i schował na powrót. – Nie, to oczywiste... Daliście ją nam specjalnie, w jakimś celu. Ma nas wkurzyć tak, żebyśmy wam wszystko powiedzieli, tak? Będziemy tak wkurwieni, że powiemy, co kto zrobił na tej kurewskiej wojnie, i będziecie mieli postęp. Jest ochotniczką, emerytowanym pracownikiem, kim jest? Ma kartę choroby? Robicie z nas króliki doświadczalne! – Ratownik uderzył w stolik i blat odpadł. – Dobrze. – Uspokoił się nagle, przykurczył na krześle. Był potężnej budowy, ale teraz wydawał się niemal drobny. – Zgadzam się. Nie wiem, jak inni, ale ja się zgadzam".

Gdy byłem drugi raz w Afganie, zostawił mnie dowódca. Poszedłem po żołnierza, w dodatku to był jego żołnierz. Odwracam się, a kolumna znika mi z oczu. Obsrałem się po kolana. Gnój dowódca wrócił do bazy i zameldował w „toku", że są wszyscy. Dostał potem medal za wzorową służbę w Afganie, a ja jestem w psychiatryku.

Julia przeczesywała palcami piękne złote włosy, patrzyła, ile jej ich zostaje na rękach. Obejrzała dłoń kilkakrotnie i powiedziała, że już czas, przy takich ubytkach zwykle obcina włosy. Zobaczę, jak wygląda bez nich.

– Nos mam dużo większy i zupełnie inny kształt twarzy. Okazuje się, że twarz mam kwadratową. Nigdy byś tego nie powiedziała, prawda? No i widać ucho – powiedziała Julia.

Tydzień później poszła do fryzjera i wróciła z krótkimi włosami. Miała zupełnie inny kształt twarzy, bez włosów miała wydatniejsze kości policzkowe i widać było, że coś jej się stało w ucho.

Usiadła na łóżku, jeszcze w cywilnym ubraniu i w butach. Chwilę milczałyśmy, Julia popatrzyła na mnie spod oka.

– Widać, prawda? – Było to bardziej stwierdzenie niż pytanie. Po prostu przyznawała się do tego, że brakuje jej ucha. Jakoś musiała nawiązać tę rozmowę, nie mogła po prostu wyjść na przepustkę, wrócić bez ucha i nic nie powiedzieć.

Zastanawiałam się, ile razy już to robiła. Wracała od fryzjera, siadała na łóżku w sali kobiecej i musiała powiedzieć, dlaczego tak wygląda.

– Wiesz już, nie? – zapytała z rezygnacją.

Wiedziałam od dawna i nawet nie pamiętam, czy ktoś mi o tym opowiedział, czy natrafiłam na tę opowieść w jakiś inny sposób. Takie opowieści potrafią przeżyć nawet bez udziału ludzi, mają własne drogi rozchodzenia się. Ta historia istniała już samoistnie, bez udziału Julii. Powiedziałam, że jeżeli nie chce, nie musi mi jej opowiadać, już ją znam – musiałam ją od kogoś usłyszeć.

Julia zaczęła tak, jak to sobie wyobrażałam:

– Nie wiem, dlaczego to się stało – powiedziała. – Prowadziłam jednocześnie dwóch klientów, to prawda, ale panowałam nad wszystkim. I to nawet nie byli ważni klienci: w branży rozeszło się, że mam te zapaści, często się załamuję. Ale wiedziałam, że dostanę poważne zlecenie, jeżeli ta impreza się uda, nadal byłam lepsza od mojej rywalki, a ona była naprawdę dobra. Taka jedna Krystyna. Miała to wszystko w jednym palcu i ostro szła naprzód. Miałam więc dwóch drobnych klientów i panowałam nad wszystkim. Czułam, że mi się uda, zdobędę to zlecenie i wszystko wróci do normy. W ostatnich godzinach przed imprezą często trzeba coś zmienić, coś się nagle wali. To była drobnostka, chodziło tylko o przesunięcie w czasie. Zespół mający grać na imprezie zapowiedział opóźnienie. Chodziło o drobną zmianę w programie. Kiedyś zrobiłabym to z zamkniętymi oczami, zdążyłabym jeszcze przedrukować program, nikt by nawet nie zauważył wpadki. A ja poszłam do łazienki i obcięłam sobie ucho. Nie wiem, dlaczego to zrobiłam. Nie mogłam pojechać do kliniki, bo impreza była w innym mieście. Nie dotarłabym do kliniki na czas, więc rozbiłam słoik z kremem i obcięłam sobie ucho nad umywalką. Powinnam była przedrukować program.

Siedzieliśmy z Mikołajem w palarni, pośród kłębów dymu, jaki pozostawili po sobie niebiescy – raz na dwie godziny przyprowadzała ich do palarni siostra dyżurna. Mikołaj powiedział, że prosi mnie o to spotkanie po raz ostatni, więcej nie będzie zawracał mi głowy. Już nie chodziło o mnie, tylko o jego samego.

– Myślę, że to koniec, jeżeli tego nie zrobię – powiedział spokojnie, dławiąc się dymem. Żadne z nas nie paliło, ale Mikołaj chciał się spotkać w palarni, na neutralnym gruncie. – Jakbyśmy się spotkali w poczekalni na dworcu. Powiem ci ten życiorys i ty zaraz odjedziesz. Twój pociąg odchodzi wcześniej, możemy się tak umówić. Ludzie często opowiadają sobie takie rzeczy na dworcach. Albo w barach.

Siedzieliśmy jakiś czas w milczeniu, między nami stała wielka donica wypełniona piaskiem i niedopałkami papierosów. Wirował świeży jeszcze dym, stąd Julia przynosiła go w resztkach włosów do pokoju.

Wyszliśmy przez drzwi tarasowe do ogrodu, postaliśmy jakiś czas przy kamiennych ławkach wokół paleniska – robiło się zimno.

– Jeżeli tego nie zrobię, będę musiał jakoś inaczej zakończyć tę sprawę – oznajmił Mikołaj. – To dziwne uczucie, że się doszło do końca, jak na tym rysunku o smokach. Dalej nie ma dokąd uciekać. W końcu dotarłem do tej ściany lasu. Czy za tą ścianą jest odpoczynek?

Po Mikołaju przyszedł do mnie Andrzej, ratownik wojskowy. Mogłam notować spokojnie, co mówił, chyba nawet nie zdawał sobie sprawy, że jest ze mną w tym samym pomieszczeniu. Zawsze patrzył gdzieś w bok, jakby zajęty jakimś innym, równoległym życiem. Zaczął mówić od razu, jak tylko usiadł, a gdy skończył, wstał z krzesła i wyszedł z jadalni. Nie sądzę, żeby mnie w jakiś sposób zauważył.

Zrobiliśmy własny krąg w jadalni, kiedy weszłam, był już gotowy. Stoły były zsunięte razem na środek sali, ktoś przyniósł szarlotkę. Weterani usiedli w ten sposób po raz pierwszy podczas mojego pobytu na oddziale. Nawet nie wiedziałam, że tak nam wolno, sądziłam, że stołów nie wolno ruszać. Adam grał w czołgistów w najdalszym kącie odwrócony do nas tyłem, ale tym razem jakoś bardziej obecny. Nigdy nie uczestniczył w pełni w życiu grupy, pilnował, żeby to, co przeżył na wojnie, odgradzało go od innych ludzi, ale teraz dawało się wyczuć jego obecność. Saper siedział przy stole, chociaż miał wyjątkowo ciężką noc, o świcie wyciągnęła go spod łóżka siostra gospodarcza. Biały opowiadał historię o tym, jak przenosił się w Afganistanie z Warriora do mniejszej bazy, ale od razu wyczułam, że nie po to zsunęli stoły. Coś się szykowało, ale nie wiedziałam, co to może być – to była moja pierwsza hospitalizacja.

Usiadłam i sięgnęłam po szarlotkę. Nie było Jezuska – leżał na łóżku w małej sali męskiej ze słuchawkami na uszach.

Rano powiedział, że musi się na chwilę odizolować, chyba nie wytrzyma. Posłucha Grateful Death, trochę sobie odpocznie. – A ciotka co tu robi? – zapytał Ratownik. – Coś jej się pomieszało? Źle skręciła? Natychmiast odłożyłam szarlotkę. Ratownikowi ostatnio łatwo puszczały nerwy i jego wybuchy wydawały się groźniejsze niż nieopanowanie innych weteranów. Nigdy nie nawiązaliśmy ze sobą kontaktu i chyba jego bałam się najbardziej. W jednej chwili rozmawiał spokojnie, w następnej potrafił uderzyć głową w ścianę, zupełnie zmienić kierunek rozmowy. Zwykle jednak uprzedzał, że czuje się gorzej, na zajęciach porannych mówił, że jest w takim stanie, że musi wyjść na zewnątrz i komuś przypierdolić, zajęcia poranne były we wtorki i czwartki. Albo mówił, że zwariuje, jeżeli jeszcze raz wejdzie do sali terapeutycznej i zobaczy Starą Wydrę, nie rozumie, dlaczego mu to robią, czy to jakiś eksperyment? Teraz musi jechać do miasta i pochodzić ulicami, poszukać kogoś, kto go zaczepi albo mu się nie spodoba.

Próbowałam sobie przypomnieć, jaki to dzień tygodnia i jak było rano, czy Ratownik coś mówił. Mówił Saper, pamiętam – powiedział, że ma zły dzień, śniło mu się wiadro pełne ładunku wybuchowego, z wiadra odchodził kabel, który nie biegł w stronę krzaków, biegł w jego stronę, on miał ten kabel w ustach. Potem mówiła Julia, całą noc przeleżała na torach kolejowych, wokół nikogo nie było, nie mogła się podnieść, żeby pójść do domu. Teraz czuje się zupełnie rozbita. Ratownik chyba nic nie mówił.

– Ciotka jest w porządku – powiedział Biały. – Może zostać. Kretyn jej też opowiedział tę historię, sam słyszałem.

I w ogóle... – Biały zawiesił głos i jego wygląd nagle się zmienił, zrobił się groźny, pofałdowała mu się czaszka, były na niej góry i doliny, jakieś ciemniejsze miejsca. Zawsze była to niebezpieczna chwila i na wszelki wypadek odwróciłam wzrok, jakby naprawdę istniała groźba, że Białemu eksploduje głowa. W papierach miał napisane „wybuchowy, nie prowokować". Nigdy nie prowokowałam Białego. – Mówię, że ma tu być, to ma być! Nie będzie jej Kretyn robił z mózgu gówna!

Nie wiedziałam, o jaką historię chodzi, ale siedziałam bardzo spokojnie, z rękami złożonymi na stole, umazana cukrem pudrem, i nawet nie drgnęłam, żeby nie zrobić czegoś, co sprawi, że Biały zmieni zdanie. Starałam się tylko wyglądać możliwie staro – Biały miał słabość do osób starszych i upośledzonych. Miałam ręce umazane cukrem pudrem i wyglądałam na bardzo wiekową.

Saper siedział przy stole i mieszał łyżeczką herbatę, żeby odegnać senność.

– Zapalnik musiałem mieć w środku – powiedział. – Ten pierdolony talib musiał mi go tam zamontować. – W głosie Sapera pobrzmiewało niedowierzanie i podziw dla wroga, który zainstalował ładunek. Mimo podwójnej porcji leków nie mógł się uwolnić od tego, co działo się w nocy, zanim siostra gospodarcza przyszła do pracy i pomogła mu wyjść spod łóżka.

Pomyślałam, że Saper jest dokładnie w wieku mojego syna i że bardzo schudł przez ostatnie tygodnie. Pilnowałam go z daleka, sprawdzając, czy je, właśnie dlatego że miał tyle lat co mój syn i chyba był takim samym niejadkiem. W ogóle byli do siebie podobni, obaj drobnokościści i ciemni, o delikatnych rysach i myślącej, wrażliwej twarzy. Pilnując Sapera, miałam wrażenie, że dbam o swojego syna, w jakiś sposób zapewniam mu to dobre odżywianie. Pozostawiony sam sobie, zapominał o jedzeniu i tak jak Saper chudł w oczach, kiedy się bał. U Sapera widać już było wklęśnięcia na skroniach i żyły na delikatnej, jeszcze trochę dziecinnej szyi.

– Nie mogę zasnąć – powiedział z tym samym niedowierzaniem. Dosypał jeszcze jedną łyżeczkę cukru do herbaty. – Jak zasnę, skurwiel mnie okabluje. Będę miał to wszystko w środku.

Dopiero teraz zauważyłam Julka, który też zajmował miejsce w kręgu i uśmiechał się lekko, niemal z zadowoleniem, i to do niego mówił Ratownik, pochylając się nad stołem.

– Historia jest gówniana. Gówniana! Nikt mi nie będzie robił z mózgu gówna! Wszystko to cuchnie, cuchnie! – Ratownik pochylił się nad stołem, a potem walnął w niego pięścią, aż z szarlotki osypał się cukier puder.

Saper mieszał łyżeczką herbatę, ale powieki ciążyły mu coraz bardziej i chyba miał już ten kabel w ustach, tracił powoli rozeznanie, gdzie się znajduje. Opowiedział mi któregoś dnia, jak chodził „na wąsach" przed kolumną wozów opancerzonych, wypatrując kabli, pakunków, ludzi siedzących przy drodze – byli to samobójcy wskazujący zamachowcowi miejsce, gdzie leży ładunek, żeby można go było odpalić w chwili, gdy wejdzie na niego żołnierz. Zapytałam, ile razy to zrobił, a on się zastanowił i powiedział: „Tyle razy, ile jeździłem na patrol. Denerwowałem się, kiedy przodem szedł ktoś inny. Odpuściłem sobie tylko raz i widziałem, jak kumpel wszedł na minę. Rozerwało go na kawałki. Została tylko kamizelka kuloodporna. Najgorsze było to, że w myślach szedłem zamiast niego i wiedziałem, że robi o jeden krok za dużo, otworzyłem usta, żeby mu o tym powiedzieć, i wtedy go rozwaliło. Ja bym nie wszedł na tę minę, czułem, że pod tym obluzowanym kawałkiem asfaltu coś jest, po prostu to czułem. W myślach często idę zamiast niego albo z nim gadam, mówię, uważaj na tę płytę, ruszana! Na patrol pojechałem dwieście czternaście razy".

– Historia jest gówniana. Gówniana! – powiedział Ratownik i Julek się uśmiechnął.

Nie mogłam zrozumieć, dlaczego jest taki zadowolony, skoro Ratownik zarzuca mu, że opowiedział gówniany życiorys. To oznaczało, że zarzuca Julkowi kłamstwo, a przecież w grupie nie wolno było kłamać. Mogliśmy bezkarnie przyznać się do zabójstwa, kradzieży albo draństwa, maltretowania żony albo braku miłości do dzieci, ale nie wolno nam było skłamać. Kłamstwo było aktem wymierzonym w istnienie grupy. Julek tego nie wiedział, ponieważ miał dysfunkcję postrzegania – mieszały mu się priorytety i taką samą wagę przykładał do kupna mieszkania i do zabicia dwunastu cywilów, kobiet i dzieci. Jest taki młody – zawołałam błagalnie w myślach, głośno nic nie powiedziałam. – Ma dysfunkcję postrzegania. Ile może mieć lat? Dwadzieścia pięć? Jest najmłodszy. W tym wieku robi się głupsze rzeczy. A Julek jest strasznie chory, nie rozróżnia rzeczy ważnych od drobnostek. Ludzie, spójrzcie tylko, jaki on jest młody, jest młodszy od mojego syna.

– Dwunastu cywilów nie spływa po człowieku jak po gęsi – powiedział Ratownik. – Coś tu śmierdzi.

A, przypomniałam sobie, o tę historię chodzi...

Chodziło o incydent z Afganistanu, o którym Julek opowiadał każdemu, kto chciał słuchać, razem z historią o tym, jak wybierał działkę pod budowę domu i garnitur na wesele kolegi. Mnie opowiedział o tym wszystkim, kiedy zajrzałam do pokoju telewizyjnego, żeby doładować telefon komórkowy. Julek tam biwakował, leżał na matach do relaksacji, obłożony sprzętem: komputerem, iPodem i tabletem, ze słuchawkami w uszach, zawsze ożywiony i pełen życzliwości. Historia była o tym, jak podczas patrolu w Afganistanie wszedł na pancerz, żeby się odsikać, i w tym momencie jego pojazd został ostrzelany. Julek wypuścił serię w stronę napastnika i w chwili gdy naciskał spust, uzmysłowił sobie, że strzela do cywilów, których talibowie popędzili przodem. Julek zobaczył, jak rozrywają ich pociski. Historia brzmiała dziwnie nieprawdziwie, od razu dawało się wyczuć, że Julek nie przeżył jej naprawdę. Może właśnie dlatego że zaraz potem z takim samym uśmiechem opowiedział mi o tym, jak rodziła się jego córeczka Krysia. Bardzo starannie przygotowywali się do porodu, chodzili do szkoły rodzenia i wszystko było dobrze, dopóki mała nie okręciła się pępowiną. Trzeba ją było szybko wyciągnąć, więc lekarz zdecydował się na użycie kleszczy. Tętno zrobiło się przerywane i nie było nawet czasu, żeby przewieźć matkę do sali operacyjnej, podano jej tylko znieczulenie, a Julka na tę chwilę wyproszono z sali porodowej. Mówił o tym z przejęciem i żalem i pomyślałam, jak to miło, że tak przeżywa to wydarzenie. Każdy jego szczegół ma tak żywo w pamięci, jakby to było wczoraj, choć z pewnością upłynęło już sporo czasu. Zapytałam, ile miesięcy ma

mała i czy już przebolał, że nie był przy jej narodzinach, przecież tak mu na tym zależało, a on powiedział, że córeczka ma
osiem lat, to, o czym opowiada, działo się osiem lat temu.
Przy urodzeniu mała otrzymała osiem punktów na dziesięć,
tylko osiem punktów, z uwagi na to poduszenie. Do Afganistanu pojechał dużo później i wtedy zabił tych ludzi, mała
miała wtedy sześć lat, nie, pięć i pół, tak, pięć i pół. Dostała
osiem punktów na dziesięć, kiedy ją lekarz w końcu wyciągnął, miała drobne zasinienie na twarzy, objaw poduszenia,
i żółtaczkę fizjologiczną.

No dobrze, skłamał – powiedziałam w myślach, tocząc
ukryty, nic nieznaczący bój o życie Julka. – Coś mu się pomieszało, darujmy mu ten jeden jedyny raz. Nic na tym nie
stracimy. Ale nawet ja wiedziałam, że to niemożliwe, traci-
liśmy wszystko, a przecież mnie prawda nie była aż tak nie-
zbędna do tego, żeby przetrwać leczenie, takie drobne cudze
kłamstwo nie przekreślało całej mojej hospitalizacji. Weterani mówili, że łamie im całą hospitalizację, pełne osiem
tygodni.

Saper podniósł się od stołu i podszedł do kuchenki zapa-
rzyć następną herbatę. Nastawił elektryczny czajnik i przysiadł na stołku koło lodówki, mówiąc sobie, że siada tylko
na sekundę, miał to wypisane na twarzy. Usiądzie tylko na
czas gotowania się wody, to nie może wyrządzić mu żadnej
krzywdy. Zaraz potem wstanie i będzie się dalej pilnował.

– Strzeliłeś z wukaemu? – zapytał Biały.

– Tak, z wukaemu.

– Do celu, który znajdował się w odległości dwóch tysięcy metrów?

– Sam byłem zdumiony, że trafiłem. Wystrzeliłem i zaraz potem porozrywało tych ludzi.

– I nie miałeś celownika?

– Nie. I dlatego byłem taki zadowolony. To był bardzo dobry strzał. Nie spodziewałem się, że trafię.

– Nie mógł trafić. Ludzie, wszyscy wiemy, że to niemożliwe. Ta odległość jest poza zasięgiem tej broni.

– Strzeliłeś z wukaemu?

– Z wukaemu.

– Z odległości dwóch kilometrów widzi się tylko chmurę pyłu, nic więcej. Niczego nie mógł rozpoznać.

– Nic nie można rozpoznać z tej odległości. Chmura pyłu i tyle.

– Biały, wukaem doniesie na taką odległość?

– Półtora tysiąca góra, więcej to, kurwa, chyba we śnie.

– Była ładna pogoda, bardzo dobra widoczność. Nacisnąłem spust i porozrywało tych ludzi. Widziałem, jak odrywa im ręce.

– Nikogo nie zabiłeś, Smarku, a już na pewno nie dwunastu cywilów. Wiesz, jak wygląda człowiek po zabiciu dwunastu cywilów?

– Smark zabił tych ludzi i nikt się o nich nie upomniał? Starszyzna z wioski nie przyszła po odszkodowanie, nikt nie miał pretensji? Nie powiedział, że ci jaja poodstrzeliwuje, jak tylko wychylisz głowę z bazy...

– Zabiłeś tych ludzi, ale chyba w grze komputerowej, cioto!

– Zabił dwunastu cywilów i mówi o tym z zadowoleniem. Nie czuć żadnych emocji, nic po nim nie widać. Spłynęło jak po gęsi?

– Spłynęło jak po gęsi, bo Smark tego nie zrobił. Może w coś strzelił, ale nie wierzę, żeby było tak, jak opowiada. Wukaem nie ma takiego zasięgu. Zesrasz się, a nie doniesie.

– On mówi o tym tak, jakby to było w grze komputerowej. Gdyby to zrobił, inaczej by śpiewał.

– Sikałby krwią i dojadał własne flaki. A on siedzi w telewizyjnym i robi zakupy w telesprzedaży. Kupił suszarkę do warzyw, sam widziałem. Będzie suszył warzywa. Jeżeli to zrobił, niech sika krwią. Sprawdźmy, czy sika krwią...

Gdzie więc jest Jezusek? – zapytałam sama siebie. Myślałam o tym, żeby wstać od stołu i zobaczyć, co robi, ale nie chciałam zwracać na siebie uwagi. Miałam palce umazane cukrem pudrem, moją zaletą było to, że umiałam siedzieć spokojnie i nie zwracać na siebie uwagi, byłam bardzo stara, trochę upośledzona.

– Zabił dwunastu cywilów, a mówi o tym jak o budowie domu, specjalnie uważałem. Tak samo mówił o tym, że mu cegieł nie dowieźli, i o tym, że kogoś zabił. Wysłuchałem tego dwa razy, bo pomyślałem, że może mi się zdaje. Raz opowiedział mnie, potem specjalnie zostałem, jak opowiadał ciotce. Był tak samo zadowolony. Zawsze jest taki zadowolony?

Julek uśmiechał się z satysfakcją.

Może to przez gry komputerowe – powiedziałam do siebie. Młodzież teraz tyle gra w te gry, zabił tych ludzi, ale myślał, że jest jak w grze komputerowej. Sami też gracie, cały czas, siedzicie i walicie z czołgów, wiecie, że nie jest jak w grze komputerowej...

Nie było jak w grze komputerowej.

Saper przetarł twarz dłonią, próbując odgonić sen. Wiedział, co się stanie, gdy zaśnie. Wiedziałam, że to nieuniknione, i patrzyłam, jak zapada w sen. – Z dwóch tysięcy widać tylko, że coś się rusza w chmurze pyłu – powiedział Biały. – Za chuja nie rozpoznasz co. Można przypierdolić, ale za chuja nie wiadomo, co to było. – Nikogo nie zabił, jest czysty jak pupcia niemowlęcia. W coś strzelił i dośpiewał sobie resztę. Albo mu błysnęło w oczach. Sprawdźmy, czy sika krwią...

Jezusek słuchał Grateful Dead w małej sali męskiej, a powinien być na miejscu, kiedy działy się takie rzeczy. Najłatwiej w takiej sytuacji zostać w małej sali męskiej – mówiłam do Jezuska – gdzie się nigdy nic nie dzieje, wyjść, jak będzie po wszystkim, w nic się nie angażować. Ale myśląc to, nie wiedziałam, czy chcę, żeby Jezusek przyszedł i powstrzymał weteranów czy żeby przyszedł i wykończył Julka Smarka, Julka ciotę i kłamcę, łamacza hospitalizacji. Ktoś powiedział, że nie da się rozpoznać ludzi z takiej odległości, Smarka trzeba przywołać do porządku. Żaden wukaem nie doniesie na dwa tysiące metrów, chyba w snach.

Nie poszłam po Jezuska, patrzyłam, jak Saper zasypia z głową na drzwiach lodówki, z wyrazem rezygnacji i oczekiwania na twarzy. Zastanawiałam się, jak to jest aż tak pragnąć śmierci, żeby zgodzić się na tę instalację w środku, połączenie z miną, zwłaszcza gdy ma się jeszcze zupełnie dziecinną linię brody, zbyt delikatną jak na dorosłego mężczyznę. Pomyślałam, że w dzieciństwie Saper nosił pewnie aparat na zęby, może tylko na dolną szczękę, żeby zrobić miejsce dla wszystkich zębów, które bez takiej interwencji rosłyby krzywo, przeszkadzając sobie nawzajem, nie mieściłyby się w takiej drobnej buzi. Gubił go pewnie nieustannie, a wtedy matka mówiła, żeby go szukał, będzie go szukał do skutku, aż znajdzie...

– Po chuja nam to opowiadasz?

Nie opowiadaj tego – powiedziałam w duchu ostrzegawczo. – To nie jest dobre miejsce na opowiadanie takich historii.

– Dobra, mam tego dość – powiedział Ratownik. – Nie będę na gnojka tracił czasu. Niech siedzi w telewizyjnym z Królicą. I niczego nie opowiada. Nie chcę go w ogóle słyszeć.

– Żadnych omówień na wolnej godzinie, nic, żadnych pytań, żadnych rozpraw z gnojkiem.

– Ile mu jeszcze zostało?

Smarkowi zostały dwa tygodnie.

Wróciłam do pokoju i zadzwoniłam do starszego syna.

– No jak tam? – zapytałam. – Wszystko dobrze?

Syn powiedział, że wszystko w porządku, ma teraz sporo pracy, ponieważ rozpoczyna się festiwal jazzowy i każą mu pisać relacje. Jeździ cały czas na koncerty. Ale może to i dobrze, będzie miał okazję się wykazać, zna się na jazzie. Najgorzej jest przecież wtedy, gdy trzeba na siłę szukać materiału. Zepsuła się spłuczka i musiał wezwać hydraulika.

Powiedziałam, że to bardzo dobra wiadomość z tym festiwalem. Będzie mógł pokazać, co potrafi, najgorzej jest wtedy, gdy nie ma tematu.

– Pogoda ładna?

Syn powiedział, że w kratkę, ale jeszcze da się wytrzymać. – A u ciebie jak? – zapytał. – Wszystko w porządku?

Ostatnie dwa tygodnie swojego pobytu na oddziale Julek spędził w pokoju telewizyjnym obłożony sprzętem, życzliwy i chętny do pomocy w każdej sprawie, zawsze z tym samym wyrazem zadowolenia na twarzy. Często rozmawiał przez telefon z żoną, mówił jej, czym ma karmić najmłodsze dziecko, trzymiesięczną Madzię, interesował się stanem mieszkania, dużo też kupował w telezakupach. Nie sądzę, żeby wydarzenia na oddziale w jakikolwiek sposób wpłynęły na jego życie, myślę, że mógł ich nawet nie zapamiętać. Ja nie pamiętam jego pożegnania, choć tak dobrze zapamiętałam pożegnanie pani Stasi, wszystko, co jej powiedzieliśmy.

W myślach próbowałam zmusić Adama do mówienia, pod koniec hospitalizacji robiłam to kilka razy dziennie. Najczęściej podchodziłam do miejsca, gdzie przesiadywał – był to stół wciśnięty w najdalszy róg jadalni – i rzucałam temat rozmowy. Stół trochę się kiwał i mówiło się, że musi tak stać wciśnięty w róg sali, bo inaczej się przewróci, ale w rzeczywistości był rodzajem azylu dla najbardziej poszkodowanych weteranów. Było to osłonięte, dobre miejsce o zabezpieczonych bokach i mogły przy nim usiąść tylko dwie osoby, jedna bokiem, druga tyłem do sali, co dawało poczucie izolacji i odseparowania od innych. Weteranom było to potrzebne, przez większość czasu nie mogli znieść obecności innych ludzi i szukali odosobnienia. Podczas mojej pierwszej hospitalizacji siedział tam Biały w fazie największej agresji, kiedy mógł patrzeć tylko w ścianę przed sobą. Mówił, że jeżeli spojrzy w bok, kogoś zabije. Potem przez jakiś czas siedział tam Saper w słuchawkach na uszach. Mikołaj wracał tam co jakiś czas, zwykle po telefonach do żony, kiedy nie mógł poradzić sobie z samym sobą. Adam usiadł tam pierwszego dnia po przyjściu na oddział i nikt nie próbował zakwestionować jego prawa do narożnego stołu; od razu było wiadomo, że jest najbardziej poszkodowany. Otrzymał go w całości dla siebie i nie pamiętam, by ktoś próbował się do niego dosiąść. Tak więc w myślach podchodziłam do tego stołu i zmuszałam Adama do mówienia. Wyobrażałam sobie, że Adam się odzywa i mówi coś innego niż: „Wyjść na ulicę, może dojść do Biedronki". A w ogóle – mówiłam sobie – człowiek nie powinien tak cierpieć, w takim cierpieniu jest coś przeciwnego naturze, takie cierpienie rozwala mi hospitalizację. Wiedziałam, że Adam próbuje się zabić tym milczeniem, próbuje się zamilczeć na śmierć. Zrobiłby to w domu, gdyby nie to, że żona przywiozła go w publiczne miejsce.

Miałam różne scenariusze naszych rozmów.

Czasem podchodziłam, nachylałam się nad narożnym stołem albo nawet wspierałam się o niego łokciami, brodę kładłam na ręku, pytałam: „W co grasz?". Czasem mi odpowiadał, mówił, że gra w czołgistów i że to fajna gra, nie przetrwałby, gdyby nie ta gra, rozwaliłby wszystko dookoła, najbardziej denerwują go wrony za oknem, wydusiłby je wszystkie gołymi rękami. Zaglądałam mu w komputer i mówiłam, że grafika jest bardzo dobra, bardzo realistyczna, ta afgańska wioska jest bardzo realistyczna, barwy są takie żywe, domy i ludzie wszystko jak żywe, to małe białe to snajper?

Czasem oczywiście było inaczej i Adam mówił, żebym poszła sobie precz. Sprawy wymykały się spod kontroli, Adam patrzył na mnie strasznym wzrokiem albo chwytał mnie za włosy i rozbijał mi głowę o kant stołu. Dawałam za wygraną i odchodziłam, wracałam za jakiś czas.

Byłam w tym lepsza niż terapeutka, ponieważ mogłam sobie pozwolić na wszystko, mogłam nawet uderzyć Adama albo powiedzieć, że rozwala mi hospitalizację, mnie nic nie krępowało. Mogłam go nawet pogłaskać po głowie, głaskałam go po głowie i mówiłam, że wszystko będzie dobrze, trzeba się tylko otworzyć i wszystko opowiedzieć terapeutce, może opowie teraz? Blondynka musiała trzymać się reguł, choć czasem czułam, że jest na granicy, rozważa możliwość złamania zasad terapeutycznych i jakiejś większej interwencji. Może tak jak ja miała wrażenie, że pęknie od tego cierpienia, które wchodziło w człowieka i stawało się nie do zniesienia. Było takie męczące, ponieważ miało niemal materialną postać i wydawało się, że można je zabrać Adamowi, trzeba tylko wypatrzyć moment jego nieuwagi. Widziałam, jak Blondynka przymyka czasem oczy, coś sobie wyobraża, ale nie wiem, co robiła w myślach, ja podchodziłam do narożnego stołu, trącałam Adama w ramię. Kiedy nie reagował, robiłam to jeszcze raz, a potem jeszcze raz, mówiłam, że rozwala mi hospitalizację, co on sobie wyobraża – tacy, co rozwalają hospitalizację, siedzą w telewizyjnym. Czasem siadałam na wolnym krześle i wyłączałam mu komputer, mówiłam: „Skończ tę cholerną grę!". Przerywałam mu tę cholerną grę, Blondynka mówiła, że w nią ucieka, skrywa się przed konfrontacją i walką o samego siebie. Problem polegał na tym, że Adam nie chciał walczyć o samego siebie, chciał cierpieć jak najdłużej, w ogóle nie współpracował z Blondynką.

Nie wiem, w jaki sposób w końcu zmuszałam Adama do opowiedzenia tego, co się stało na wojnie. Ile razy to sobie wyobrażałam, on już mówił, opowiadał mi to ze szczegółami i to był przełom, do którego dążyli wszyscy weterani, początek samouzdrowienia. Widziałam, jak ono się dokonuje, czułam radość i ulgę, ale nie potrafiłam sobie wyobrazić tego, co Adam mi opowiada.

– Zabiłeś cywilów? – pytałam, pamiętając opowieści innych weteranów. – Przypadkiem zabiłeś kilka osób...

Tak mogło być, z tego powodu cierpieli najbardziej i najdłużej nie chcieli zdrowieć. Tylko własne cierpienie mogło przynieść im jakąś ulgę.

– Namówiłeś przyjaciela, żeby pojechał z tobą na patrol i on zginął, a ty nie. Nie pożegnałeś się z przyjacielem, który zginął. Namówiłeś go, żebyście pojechali do Afganistanu razem, przetrwaliście całą zmianę i to miał być wasz ostatni patrol, następnego dnia wracaliście do domu. – Przypomniałam sobie straszną historię, jaką słyszałam poprzedniego dnia. – Wracaliście na jego ślub, miałeś być świadkiem. Przed wyjazdem na patrol przyjaciel powiedział: „Jeszcze ten jeden jedyny raz, a jutro jesteśmy w domu, stary! Jeszcze tylko raz!". On wyleciał w powietrze na minie, a ty pojechałeś do domu sam, żeby spotkać się z jego dziewczyną. Powiedziałeś: „Aniu, nie wiem, jak ci to powiedzieć...".

– Słuchaj, nie zauważyłeś, że kumpel nie wrócił do wozu, i go zostawiłeś, może to? Zostawiłeś kumpla z patrolu i po niego nie wróciłeś... Wpadliście w zasadzkę i trzeba się było szybko ewakuować, myślałeś, że w wozie są wszyscy. Bałeś się tak, że chciałeś tylko znaleźć się w bezpiecznym miejscu, wszyscy się tak boją, chcą tylko wrócić cało do bazy. Zorientowałeś się dopiero w bazie, a kiedy wróciłeś w tamto miejsce, kumpla już nie było. Nigdy nie dowiedziałeś się, co się z nim stało. Ciało, które odzyskaliście, było zmasakrowane. Adam mi to opowiadał, wyrzucał z siebie słowa, straszne obrazy, nie słyszałam nawet jego głosu. Co to mogło być – zastanawiałam się. – Coś naprawdę poważnego, wydarzenie, które niszczy życie w taki sposób, że już się go nie da naprawić. Co się robi z takim życiem, którego się nie da naprawić? Żyje się dalej?

– Byłeś oficerem i wydałeś rozkaz ostrzału. – Przypomniałam sobie straszną historię, jaką usłyszałam przed paroma dniami. – Wziąłeś dzieciaka za terrorystę, który zbliża się do bazy, jest nafaszerowany materiałami wybuchowymi, na pustej przestrzeni trudno ocenić wzrost człowieka. Mały pędził przed sobą stadko kóz, coś sprawiło, że wziąłeś go za zamachowca, teraz nie możesz sobie nawet przypomnieć, co to było. Może była to jedynie myśl, że terroryści często tak robią, wysyłają dzieci naszpikowane ładunkami wybuchowymi w stronę baz. Liczą na to, że ktoś się zawaha i zamachowcowi uda się podejść bardzo blisko. Ale to nie był zamachowiec, tylko pasterz kóz. Miał zawój na głowie i zakrytą twarz. Nie możesz znieść myśli, że zabiłeś dziecko, ponieważ miało zawój na głowie i zakrytą twarz. Gdybyś tylko mógł znaleźć w jego wyglądzie coś, co sprawiło, że wziąłeś go za wroga. Zabiłeś dzieciaka? Zabiłeś dwoje dzieci?

Tak, to mogło być to.

– Powiedz to głośno – mówiłam. – Poczujesz się lepiej. Ale to chyba nie było to, Adam mówił dalej, słowa wylewały się, tworząc jakiś nieznany mi jeszcze, potworny obraz, który niszczy całe życie.

– Źle rozpoznałeś cel, warunki nie były dobre, w powietrzu unosił się kurz. Wiedziałeś o tym, a mimo to dokonałeś rozpoznania, przez ułamek sekundy byłeś pewny, co widzisz. Zginęło mnóstwo ludzi, nigdy się nie dowiedziałeś, ilu ich było...

Stara Wydra zasnęła podczas życiorysu Andrzeja i zdawało mi się, że jest to moment, na który wszyscy czekaliśmy. Nareszcie mogliśmy oskarżyć ją o coś więcej niż tylko o wyjadanie z lodówki, skrzywdzenie Karolinki i brak umiejętności jakiejkolwiek zmiany. Bardzo już tego potrzebowaliśmy.

Ja ze swej strony potrzebowałam także, by przestała chodzić z Jezuskiem do sali telewizyjnej, chciałam, żeby ktoś temu zapobiegł. To, że zasnęła podczas życiorysu Andrzeja, miało położyć kres ogólnej obecności Królicy w naszym życiu, także stawaniu na progu małej sali męskiej ze słowami: „Ja już czekam, panie Jezus! Telewizja!". Szli oglądać seriale *M jak miłość* i *Hotel 52*, Jezusek miał nieobecny wyraz twarzy jak człowiek, którego dręczy ból, ale stara się myśleć o czymś innym.

Urodziłem się w X. Dość malowniczo, taka wieś piętnaście kilometrów od niemieckiej granicy. Byłem dość wyrywnym dzieckiem, cały czas gdzieś z chłopakami, dużo miejsca do biegania. Przedszkole, szkoła, normalnie. Ojciec namówił mnie, żebym poszedł na mechanika, no to poszedłem. Potem służba zasadnicza. Ożeniłem się i nic nie było: ani pracy, ani mieszkania. Był wyjazd do Czadu, od razu się zapisałem. No, wszystko tam było, pająki, skorpiony, co się chce. Wróciłem. Był zapis do Afganistanu. Znowu się zapisałem. Cała kompania pojechała i było dobrze. Awansowali mnie na ratownika i już szkolenie było inne. No dobra, pojechaliśmy. Jedziemy na patrol, czasem cztery razy w ciągu dnia. Kiedyś jedziemy, widzę rosomak rozwalony, cały tył wygryziony. No dobra, podchodzimy, ja byłem jeden na cały pluton, potem dosłali nam jednego sanitariusza z cywila. Podchodzimy, patrzymy, a jemu, jak na minę wjechał, podłogę przylepiło do dachu, wyciągaliśmy resztki ludzi haczykami. Innym razem wychodzimy z bazy, bo już słychać było, że chłopaki na coś wjechały, więc nie czekam na rozkaz, tylko od razu ruszam. Idziemy we dwóch, kumpel ze mną, dostał w szyję z jednej strony, a wyszło drugą. No dobra. Po powrocie do domu to niby nic, normalnie, praca, trochę dziwnie w jednostce, aż mnie mdliło, gdy tam szedłem, ci wszyscy ludzie... Aż kiedyś wstaję rano i widzę – zamiast twarzy mam krwawą miazgę. I ból głowy taki, jakby mi ją coś rozłupało. Idę do lustra, patrzę, a twarzy normalnie nie mam, tylko krwawa plama. Od razu do szpitala, na neurochirurgię, a tam lekarz mówi, że trzeba otworzyć czaszkę. A ja, gdzie spojrzę, widzę poucinane ręce, nogi. Przywieźli mnie tutaj. Trzy miesiące byłem, wyszedłem. Ale taka agresja, no nie, złość taka we mnie była, że normalnie nie mogłem sobie z nią poradzić. I ciągle mi się wydawało, że komuś amputuję nogi albo ręce. Kiedyś wyjechałem na autostradę, co to obok nas jest, i dalej, ile fabryka dała. A na siedzeniu nóż

do amputacji cały czas wożę, bo mi się zdaje, że zaraz będzie
mi potrzebny. No to znowu tu przyjechałem.
Chcę się nauczyć żyć.

Pani Stasia zasnęła, słuchając tego życiorysu.

Milczeliśmy, nikt nie miał odwagi się odezwać. Odczuwałam zarazem jakby ulgę i zadowolenie, ostatecznie to ja miałam rację, to mi zawsze przynosiło spokój. Wiedziałam, że Królica jest niepełnym człowiekiem, ma w sobie jakiś głęboki brak.

– Dlaczego to robimy? – odezwał się Biały. Twarz miał rozluźnioną, jakby najgorsze już się stało, teraz już niczego nie musiał pilnować. To mnie naprawdę przeraziło. – Dlaczego ciągle o tym rozmawiamy?

– Zasnęła podczas życiorysu Andrzeja – powiedział Ratownik i w jego głosie zabrzmiało niedowierzanie. – Zasnęła, kurwa, podczas takiego życiorysu! Kto by to mógł zrobić? Kim trzeba być, żeby to zrobić...

A więc mieliśmy rację cały czas. Tu nie chodziło o skrzywdzenie Karolinki i wyjadanie zapasów z lodówki, od razu wiedzieliśmy, że chodzi o coś więcej. Szło o prawdziwe zło i dlatego tak ostro się przeciwstawialiśmy, wiedzieliśmy, że idzie o coś poważnego. Czułam niemal zadowolenie, że Stara Wydra zasnęła podczas życiorysu Andrzeja. Już nie chciałam o niej rozmawiać, byłam zmęczona Starą Wydrą. Nie potrafiłam sobie nawet wyobrazić, co się z nią stanie po wyjściu z kliniki, Mikołaj miał rację – myśl o tym, co się z nią stanie, była nie do zniesienia.

Mikołaj pochylił się na krześle, miał żyły na czole, ręce mu drżały.

– Zacznijmy od początku – powiedział cicho i bardzo spokojnie. – Tu musi być jakieś rozwiązanie. Tak tego nie można zostawić. Pani Stasiu, pani mi pomoże. – Od tego Mikołajowego spokoju ciarki mi chodziły po plecach. – Od którego momentu chce pani zacząć? Zaczniemy od tego miejsca, które pani wybierze...

Słyszałam głos Mikołaja, ale patrzyłam na Białego wciśniętego w kąt przy szafie. Zatapiał palce w gołe uda, aż rozchodziły się po nich sine kręgi, tak samo jak wtedy gdy próbował po raz pierwszy opowiedzieć mi swój życiorys. Twarz mu się skurczyła z bólu i nienawiści.

Nie rozumiałam, co się dzieje. Oni chyba nie zamierzali...? Nie – pomyślałam – to niemożliwe.

– Niech opowiada, kurwa, od początku. – Biały miał czerwone plamy na twarzy. – Będzie gadać, aż coś się w tej historii zacznie kleić. Bo na razie, kurwa, to mi się nic nie klei. Urodziłam się, wyszłam za mąż i zaraz umrę! Urodziłam się i zaraz umrę! Nikt stąd nie wyjdzie, dopóki to się nie zacznie kleić! Baba stąd taka nie wyjdzie! Nie wróci stąd taka do domu i nie skiśnie w tej samotności!

– Od czego więc chce pani zacząć, pani Stasiu?

Od jedzenia Karolina wykręcała się tym, że jest aniołem.

– My nie jemy – mówiła, a jej wielka głowa na wychudzonej szyi wydawała się jeszcze większa. – Widziałaś kiedyś jedzącego anioła? – pytała, kiedy próbowałam namówić ją na pójście do jadalni. Ustępowała tylko Białemu.

– Co to znaczy: „Nie chce przyjść na kolację"? – krzyczał, idąc korytarzem w stronę naszego pokoju. – Co to znaczy „nie chce"?

– No, nie chce – usprawiedliwiałam się jękliwie, biegnąc obok niego truchtem i odruchowo udając kogoś o wiele mniejszego. W takich chwilach, kiedy narażałam się Białemu, miałam poczucie, że od zniszczenia uratować mnie może tylko moja własna kruchość, chude ręce, drobne stopy. Biały miał słabość do wiadomo kogo.

– Co jest? – Stawał w drzwiach naszego pokoju. – Idziemy, kurwa, na kolację. Pierdolone anioły jedzą trzy razy dziennie. Dzisiaj jest kiełbasa.

Karolinka szła za nim potulnie i nawet dość szybko, a on jeszcze ją popędzał.

Z nadejściem zimy coraz rzadziej rozmawiałam z Markiem. Piękna Blondynka powoli odciągała mnie od śmierci, zwracała moje myśli ku dawnym pasjom, a Marek odchodził w swoją stronę. W tym okresie nie chciał już ani ze mną, ani w ogóle z ludźmi żadnej łączności, nawet tak nikłej, opartej jedynie na poczuciu wspólnej śmiertelności. Nadal uczestniczył w zajęciach, ale widać było, że interesują go coraz mniej. W któryś wtorek, określając cel terapeutyczny na bieżący tydzień, powiedział, że ciekawi go, jak to jest, kiedy nie ma się już żadnych spraw i obciążeń, ciekawi go taki stan świadomości. Pamiętam, że w tamten wtorek moim celem było przypomnienie sobie pasji podróżniczej, kiedyś coś takiego miałam. Powiedziałam to, kiedy przyszła moja kolej w kręgu, ale nie byłam do końca pewna, co to znaczy.

Następne dni pamiętam bardzo wyraźnie, były dla mnie ważne prawie tak samo jak dla Marka. Z tych miesięcy spędzonych w klinice dwa obrazy stoją mi w oczach jak żywe: Jezusek idzie ku mnie korytarzem oddziału ozdrowieńców, ma na sobie cywilne ubranie, Marek siedzi na swoim miejscu w jadalni, drze list od dziewczyny przy stoliku przy drzwiach – nigdy nie stawialiśmy tam krzesła, żeby mógł swobodnie podjechać wózkiem. Przyniosłam mu ciastka z przyszpitalnej cukierni – chciałam z nim porozmawiać o tych zapomnianych pasjach. Był jedynym człowiekiem, o którym wiedziałam, że ma coś takiego w życiorysie, i chciałam się dowiedzieć, co sądzi o wskrzeszaniu takich rzeczy. Rzadko wspominał o latach spędzonych w wojsku, o misjach, w których brał udział, ale wiedziałam, że kiedyś armia była całym jego życiem.

Marek uśmiechnął się do mnie skąpo, jakby się bał, że nawiąże ze mną jakikolwiek kontakt, choć przez chwilę coś go będzie wiązało z drugim człowiekiem. Nie miałam o to żalu. Podsunęłam mu ciastko.

Zapytał, czy pisałam kiedyś testament.

– Nie sądziłem, że to jest takie trudne – powiedział. Wziął ciastko z wahaniem, oceniając niebezpieczeństwo, że to nas do siebie zbliży. Kawałki listu leżały między nami na stole, zapisane gęsto, chaotycznie, jakby piszący się bał, że ktoś mu przerwie w pół słowa, więc pisał coraz szybciej. – I takie satysfakcjonujące. Można uwzględnić każdy szczegół, jakby się miało nad czymś pełną kontrolę. Bardzo dobrze wiem, czego chcę, i mogę to osiągnąć. To zależy wyłącznie ode mnie. Jest trochę inaczej niż w życiu: tutaj nic nie może mi wejść w paradę. Chyba przewidziałem wszystko. – Spojrzał na mnie wyczekująco, jakby się spodziewał, że teraz już sobie pójdę, pozwolę mu wrócić do tego, co robił z listem. Co jakiś czas darł go na jeszcze mniejsze kawałki i układał starannie na kupkę. – Kremacja, a potem pochówek jedynie w obecności rodziny – dodał tonem już wyraźnie kończącym rozmowę. – Bez asysty wojskowej. Zupełnie mnie to wyczerpało, ale warto było.

– No właśnie. – Ucieszyłam się, że wspomniał o wojsku. – Kiedyś to była twoja pasja, prawda? Armia?

I przypomniałam sobie, co powiedział kiedyś na zajęciach, że gdyby mógł, bez chwili wahania pojechałby jeszcze raz na misję, nawet znając cenę, jaką za to zapłaci.

– Musiałbym zrobić to wszystko jeszcze raz. – W jego głosie słychać było odcień jakiegoś politowania, którego nie zrozumiałam. – I pewnie doszedłbym do tego samego punktu.

Czułam, że już nie chce ze mną rozmawiać, nie zjadł również tego ciastka, które mu dałam. I rzeczywiście była to nasza ostatnia rozmowa w klinice. Ale wrócił do tej myśli jeszcze raz, kiedy kilka miesięcy później odwiedziłam go na oddziale intensywnej terapii: umierał na zapalenie płuc. Nie ucieszył się z moich odwiedzin, może bał się, że go o coś zapytam. Przyniosłam mu winogrona. Ożywił się tylko raz, mówiąc, że w zeszłym tygodniu oddał laptop siostrzeńcowi. Już nie chce mieć łączności ze światem, nic go już nie interesuje. Jest tak, jak mi kiedyś mówił. Nic go już nie dręczy, nawet Afganistan.

– Chyba go już nawet nie pamiętam. Może go w ogóle nie było. Jest tak, jak mówiłem. Mówiłem ci? – Patrzył na mnie przez opadające sennie powieki.

Na chwilę mu pozazdrościłam. Był zadowolony, leżał w tym jasnym, dobrze wyposażonym pokoju.

Ojciec nas bił, matkę, mnie i mojego brata, często za nic. Kiedy miałem dziewięć lat, próbowałem popełnić samobójstwo. Wydawało mi się, że ta przemoc, jaka była w domu, to moja wina i że jeżeli zrobię coś dramatycznego, oni się opamiętają, ustanie to wieczne pijaństwo. W szkole miałem ciężkie życie, myśleli nawet, że jestem opóźniony. Zasadzali się na mnie w kilku i dostawałem lanie, ale i tak uważałem, że w szkole jest lepiej niż w domu. Źle się uczyłem, ale potem wzięli mnie do siebie dziadkowie i zaczęło się dla mnie nowe życie. Okazało się, że wcale nie jestem taki tępy, zdawałem bez problemu z klasy do klasy. Moją żonę Basię poznałem, kiedy byłem w technikum, ale nie chodziliśmy ze sobą. Myślę, że jeszcze nie byłem tym człowiekiem, którym jestem teraz, to dzieciństwo jeszcze się za mną ciągnęło i tego się we mnie przestraszyła. Spotkaliśmy się dwa lata później i prawie od razu wzięliśmy ślub. Jeszcze przez rok ciągnąłem studia wieczorowe, ale nie dałem rady. Trzeba było zarobić na mieszkanie, mieszkaliśmy u teściów i stosunki z nimi nie układały się dobrze. Teść pił i to mi uświadomiło, że trzeba uciekać od tych ludzi, bałem się alkoholu – to mi zostało z dzieciństwa.

Zapisałem się do Afganistanu.

Pierwsza zmiana to były wakacje. Bez wymiany ognia. Choć zginął chłopak. Pojazd wjechał na pole minowe, kiedy jechaliśmy do wioski z darami. Wybuchło, ale nikogo nie poraniło, lekkie potłuczenia. Następnego dnia wjechał na to samo pole, zginął mój kumpel.

Wróciłem do domu, mieliśmy już to nasze wymarzone miesz-
kanie, dwa pokoje z kuchnią. Ale już nie było tak jak przedtem.
I nie pamiętam, skąd wziął się w moim życiu alkohol. Chyba
z tego, że poszedłem z dawnymi kolegami do pubu, a oni za-
częli mnie pytać, jak tam było w tym Afganistanie, ilu talibów
zabiłem. Klepali mnie po plecach i pytali: „To ilu ich odstrzeli-
łeś, stary?". Pytali, ilu ludzi zabiłem. Potem piłem już sam, bez
kumpli. Ale trzymałem się Basi. Jak mówiła, żebym nie pił –
nie piłem. Zapisałem się na kolejny wyjazd. Byliśmy w długach,
do tego kredyty, remont mieszkania. Basia błagała, żebym nie
jechał, jakoś sobie poradzimy. Dowiedziałem się, że jest w ciąży,
na dzień przed wyjazdem.

Na tej zmianie nie było już tak jak na pierwszej. Miałem
kumpla. Przyszedł do mnie tuż przed patrolem, powiedział: „Co
ty, nie pierdol, nic się nie stanie". Wjechał na minę włoską, na-
wet nie miała takiej wielkiej mocy. Ratowali go dwa dni. Wy-
dawało się, że nie ma zewnętrznych obrażeń, a w środku miał
wszystko rozwalone, wątrobę, żołądek wszystkie narządy. Le-
karzom się nie udało.

Zacząłem unikać dłuższych wyjazdów. Kiedy znów pojecha-
łem, wydawało mi się, że robię to po raz pierwszy. Jechaliśmy
czwartym wozem. Nastąpił wybuch. Dopiero jak poszedł dym,
zorientowaliśmy się, że to my.

Zabrali nas medevackiem do bazy. Prawie nie czułem bólu,
tylko takie dziwne uczucie, że czegoś mi brakuje. Miałem wy-
rwane duże kawałki ciała od pięt po pośladki. Przeszedłem kil-
kanaście operacji kręgosłupa, ale chciałem żyć. Może dla Basi,
która była przy mnie cały czas podczas rehabilitacji. Ratowała
mnie, mówiła, że mamy życie przed sobą, wszystko, o czym

marzyliśmy. Tylko że ja nie jestem już tym człowiekiem, którym byłem. Myślałem, że trzeba po prostu przejść te operacje, rehabilitacje, że jest to jakiś etap powrotu i że w ten sposób wracam do dawnego życia. Zacisnąłem zęby i szedłem naprzód. Teraz zaczynam rozumieć, że to nie jest żaden powrót, już nigdy nie będę tym człowiekiem, którym byłem. Nie wiem, jak mam o tym powiedzieć Basi. Sam siebie jeszcze nie znam, co dzień odsłania mi się jakaś nowa otchłań, która jest we mnie, kolejna dziura. Jeżeli nie mogę być taki jak kiedyś, chyba w ogóle nie chcę być.

„Jest pani bezwzględną suką, nic pani nie obchodzą inni ludzie, ma pani gdzieś innych ludzi. Bylebym tylko ja się nażarła, a o innych mniejsza, tak pani powiedziała. A co mnie obchodzą inni, ja jestem najedzona".

Jezusek: „My jesteśmy tu właśnie dlatego, że jesteśmy dziwni. Wszyscy tu jesteśmy dziwni, nie potępiajmy się za to".

„Jest pani starą symulantką. Ja pani powiem, co ja bym zrobił. Ja bym panią wyleczył przez jeden dzień".

Jezusek: „Pani Stasia jest tutaj właśnie dlatego, że taka jest, nie potępiajmy się za to, że jesteśmy chorzy...".

„Przyjdzie sobota i pani już, jak ta Barbie, wypindrzona leci w miasto. Wtedy jakoś pani nie tupie, ani w ogóle pani nie tupczy. Ale już w poniedziałek, jak tylko Lekarza pani zobaczy, od razu pani noga lata, mało nie odpadnie. Pani nam urąga, nie szanuje nas pani. Niedobrze mi się robi, jak panią widzę. Pani mi uniemożliwia leczenie. Jest pani wredną matką, od której uciekły własne dzieci. Jaka matka nie odzywa się do swoich dzieci przez dwadzieścia lat? Co pani

zrobiła tym dzieciom, że kazały pani zdychać pod płotem?...
Ja pani powiem dlaczego! Podczas życiorysu Andrzeja pani
spała, spała! Spać to pani może w cholernym kinie, ale tu
człowiek się przed panią odsłania, pokazuje swoje rany! Ale
pani myśli: Na chuja mi to. A teraz pani też śpi, tylko czasem pani noga drgnie, ma pani w sobie beton nie duszę,
beton nie duszę!"

Ale Jezusek mówił dalej: „A gdzie nasze zrozumienie, musimy spróbować zrozumieć drugiego człowieka...".

– Mam własne mieszkanie, piękny widok. Cisza, spokój.
Spaceruję po parku, popatrzę na ludzi. Chodzę na koncerty
muzyki poważnej. Nikogo nie potrzebuję.

Jezuskowi poszła krew z nosa.

„Ale nasze człowieczeństwo... Gdzie nasze człowieczeństwo?"

– Jej nie potrzeba naszego człowieczeństwa, tylko tego,
żeby nie umarła w samotności. Nie, to nie na moje siły...

– Żyję jak księżniczka. Oni są dorośli, wiedzą, co robią.
Nie chcą się do mnie odzywać, ich decyzja. Ja też nie muszę. Nikt nic nie musi.

– A to, co dla pani robi Jezusek, nic dla pani nie znaczy?
Nic nie znaczy?

– Nie znam żadnego Jezuska. Który to?

„Więc mija osiem tygodni, odkąd rozmawiamy o pani Stasi.
Czy ona jest dla panów taka ważna? Może tak bardzo was po-
rusza, ponieważ uosabia brak zmiany, której obawiacie się
w sobie? Czy nie atakujecie w ten sposób samych siebie i tego,
czego w sobie nie potraficie zmienić? Przychodzicie tu raz na
rok, dwa razy w roku, po dwa, trzy, cztery razy, bierzecie leki,

spędzacie tu dziesięć tygodni i nadal nie potraficie nic w sobie zmienić?”

Chodzi o to, by przeżyć, o wszystkim innym myśli się potem. Najpierw przeżyjmy, mniejsza o resztę. Resztą zajmiemy się później. Jednego dnia dostaliśmy info, że mamy zdjąć samochód. Wszystko się zgadzało, kolor, przemalowane drzwi, na dachu bagażnik, oko rozpoznało cel. Opis się zgadzał i oko rozpoznało cel. Niebieski samochód z szarymi drzwiami po stronie pasażera. Na dachu bagażnik. Widziałem dobrze ten samochód. Był taki, jak podało info. Strzeliłem i zaraz potem stanął w ogniu. Zmienił się w kulę ognia, a ja nie wiedziałem, co było w środku, nigdy się nie dowiedziałem. Już w chwili gdy naciskałem spust, zdałem sobie sprawę, że nie wiem, co jest w środku. Wróciliśmy do bazy i nic, normalnie bimber się znalazł i kumple mówią: tra, tra, tra, strzelaaaj. I się śmiali, bo wtedy wydawało się, że to nic takiego. Strzelaaaj. Pokładliśmy się normalnie spać, bo rano miał być następny patrol. A innym razem wystrzelaliśmy gościowi wszystkie owce. Coś błysnęło w budynkach gospodarczych, strzeliliśmy, ale przeniosło i trafiło w te owce, ze sto ich było. Gość cały rok je, kurwa, karmił, a tam trawa nie tak jak u nas, że wypuścisz krowy i one się pasą. Tam źdźbła mają, kurwa, policzone. Wiecie, ile on się nazachrzaniał, żeby te owce mieć? Cały majątek, kurwa, a myśmy przyjechali i mu ten cały dorobek życia wyjebali. Tra, tra, tra i, kurwa, sto owiec leży.

Nie byłam na psychodramie Jezuska, leżałam z grypą. Przyszedł po zajęciach, przysiadł w nogach mojego łóżka i powiedział, że już po wszystkim.

Zapytałam, jak było.

– To zależy od punktu widzenia – powiedział. – Dla mnie chyba dobrze. Te ćwiczenia mi bardzo pomogły, powoli zaczynam dostrzegać to swoje terytorium. Faktycznie je mam, nigdy bym się tego nie spodziewał, to zupełnie zmienia postać rzeczy. Muszę przyznać, że to nawet przyjemne, to znaczy w pewnym stopniu satysfakcjonujące, jakbym miał dla siebie więcej miejsca. Jakoś swobodniej mi się oddycha. I lepiej widzę samego siebie, jakbym został silniej zarysowany. Można chyba powiedzieć, że jestem na dobrej drodze do wyzdrowienia.

Na początku psychodramy nie bardzo mu szło, sądził nawet, że będzie tak jak zawsze: nikogo nie wezwie na środek sali, nie znajdzie w sobie dość siły i pozostawi swoje demony nienaruszone. Ale udało mu się wezwać babkę. Wybrał do tej roli szeregowego Mazura.

– Najbardziej mnie onieśmiela, a chciałem, żeby to był ktoś, kto budzi we mnie takie duże onieśmielenie. Z początku nie potrafiłem mu powiedzieć nic nieprzyjemnego, powtarzałem tylko, że wezwałem babkę, ponieważ ją kocham, tyle lat mieszkaliśmy razem. Ale potem coś we mnie pękło. Udało mi się powiedzieć, że ją kocham, ale oddała moje mieszkanie komuś innemu i mam do niej o to żal. Tak, to dla mnie duże osiągnięcie. Powiedziałem również, że nie powinna tego robić, skoro się umówiliśmy, że mieszkanie przejdzie na mnie. W sumie jestem bardzo zadowolony. Muszę się tylko pilnować, żeby nie stracić poczucia tego terytorium. To naprawi moje relacje z ludźmi. Myśli pani, że naprawi?

Kiedy wieczorem poszłam na kolację, Biały opowiedział mi, jakie postępy zrobił Jezusek podczas mojej nieobecności. Potrafi już powiedzieć „nie", ćwiczą z nim od rana.

– Przy obiedzie powiedział Mazurowi, że zajął mu miejsce przy stole. Widziałem to na własne oczy! Podszedł do stolika, gdzie Mazur już zaczął jeść zupę, i powiedział mu, że on tu pierwszy siedział, poszedł tylko po drugie, i żeby Mazur się przesiadł.

Staliśmy w ogonku po kaszankę z grilla.

– Patrz teraz, ciotka!

Biały wyszedł z kolejki i wepchnął się przed Jezuska, który stał bliżej kuchni.

– Hej, Jezusek! Wymienisz swoją kaszankę na szynkę ze śniadania?

Wszyscy mieliśmy dość szynki i uważaliśmy kaszankę za rarytas. Jezusek dotychczas wymieniał się chętnie albo oddawał część swojej porcji każdemu, kto o to poprosił.

– Oddaj mi kaszankę – powiedział Biały proszaco. – Zaraz wychodzisz, a ja będę żarł tę szynkę jeszcze dwa tygodnie.

Jezusek popatrzył na Białego łagodnie, bez gniewu, chwilę się zastanowił, jakby próbował rozpoznać właściwy wariant postępowania w takiej sytuacji.

– Ja jem kaszankę – ustalił. – Sam zjadasz szynkę.

Kilka dni później spotkałam Jezuska w palarni. Siedział pod ścianą tak nieruchomo, że pośród kłębów dymu prawie nie było go widać. Tak jak Julia po powrocie stamtąd on też wydał mi się inny, niemal wrogi.

– Przecież pan nie pali – zauważyłam.

– A pani?

Była pora przepustek. Powiew z otwieranych i zamykanych drzwi przepędzał kłęby dymu z kąta w kąt. Wędrowały blisko ścian, a potem zbierały się wokół donicy z petami. Jezusek powiedział, że jest to chyba najmniejsza palarnia świata, pani Stasia nigdy tu nie bywa. Skrzywił się, jakby nie podobało mu się brzmienie własnego głosu.

– Po co pani tu przychodzi?

Nie odpowiedziałam. Dym drapał mnie w gardle, gdzieś niżej czaiły się łzy.

– Wszystko wydaje mi się inne, dlatego tu przyszedłem. Nigdy tu nie przychodzę. Wszystko wydaje mi się jakieś inne, a tu nigdy nie byłem, rozumie to pani? – zapytał niemal napastliwie. – Lekarz powiedział, że to naturalne, to, że tak czuję. Co niby jest naturalne? Nie chcę, żeby to było naturalne...

– Przecież chyba się pan nie boi?

– Będę robił to, co zawsze – odparł takim tonem, jakby sam siebie chciał zapewnić, że wszystko jest w porządku. Chyba nie słyszał, co powiedziałam. – Zaraz idziemy na spacer, ja i pani Stasia. Umówiłem się z panią Stasią. Teraz pójdziemy na kawę, a potem pooglądamy telewizję, nic się nie zmienia. Ona lubi ten serial o siedemnastej trzydzieści. Powtarzają go kilka razy w ciągu dnia. Oglądamy ten sam odcinek kilka razy dziennie. Wszystko będzie dobrze. Wieczorem zagramy w warcaby. Wystarczy robić to co zawsze.

Jeszcze przez kilka dni Jezusek opiekował się Starą Wydrą, chyba jeszcze staranniej niż dotąd. Kiedy mówiła, wpatrywał się w nią z natężeniem, poruszając bezgłośnie ustami, jakby przeliczając słowa życiorysu, mógł zatrzymać tę zmianę, jaka się w nim dokonywała. Jezusek chyba nie chciał się zmieniać. Już nie bał się reakcji grupy, ten lęk miał dawno za sobą. – Poszłam na spacer koło boiska szkolnego – mówiła Królica. – Akurat dzieci grały w piłkę. Były dwie drużyny... O tym, że Jezusek poprosił o przedterminowy wypis, dowiedziałam się podczas sesji. Terapeutka zapowiedziała zmianę planu zajęć na następny dzień. Będziemy żegnać Krzysztofa, który od nas odchodzi. Zamiast omówienia celów terapeutycznych zrobimy więc pożegnanie Jezuska. Pożegnanie jest obowiązkowe.

Mówiła to spokojnym, łagodnym tonem, w którym poza przyzwoleniem na decyzję Jezuska była jeszcze inna, niemal beztroska nuta, jakby wiedziała, że dla Jezuska to już bez znaczenia. Cokolwiek postanowi, jego decyzja nie może już odmienić wyniku jego hospitalizacji. Terapia będzie się toczyła dalej, niezależnie od tego, czy odejdzie, czy zostanie.

– Tak, panie Krzysztofie? – Uśmiechnęła się miło, trochę przekornie.

Po zajęciach zajrzałam do małej sali męskiej.

– Więc wypisuje się pan? – zapytałam, stając w drzwiach.

Jezusek powiedział, że jest już spakowany. Tych kilka drobiazgów osobistych dopakuje rano.

– Dobrze pan robi? – zapytałam z powątpiewaniem. – Ile panu zostało do końca? Trzy, cztery dni? Może warto dotrwać? Tak dobrze panu idzie.

– Dłużej nie mogę tu być. Dzwoniła sąsiadka, żebym odebrał kota, źle się u niej czuje. Nie zdawałem sobie sprawy, że oddaję go na tak długo. Mam go dopiero od roku. Nie chciałbym, żeby się ode mnie odzwyczaił. To znajda.

– Tyle włożył pan pracy w leczenie. – Uważałam, że popełnia błąd. – Zrobił pan psychodramę i w ogóle...

– Dzwoniła, że wyjeżdża, a ma mojego kota. Nie chciałbym, żeby się ode mnie odzwyczaił. I tak nadużyłem jej uprzejmości.

Nie wierzyłam w wersję z kotem. Jezusek musiał to zauważyć, bo umknął wzrokiem w bok, w stronę szafy.

– Lekarz powiedział, że da mi wypis, jeżeli poczekam do jutra. Powiedział, że tak będzie lepiej. Nie rozumiem, dlaczego nie mogę wyjść dzisiaj, ale trudno, posiedzę i poczekam tu do jutra. To znaczy pójdę zagrać z panią Stasią w warcaby, a potem poczekam do jutra. Chyba nic mi się nie stanie, to krótki termin. – Spojrzał na mnie spłoszonym wzrokiem, szukając potwierdzenia, że tak, do jutra pozostało zbyt mało czasu, by mogło mu się stać coś złego.

Ale wieczorem powiedział Królicy, że nie zagra z nią w warcaby, nie ma ochoty.

Stał oparty plecami o ścianę z korkową tablicą, do której przypinaliśmy śmieszne wierszyki, przepisy na potrawy, jakie zjemy po wyjściu z kliniki, ulotki restauracji odmawiających dostawy do zakładu psychiatrycznego. Widać było, że mimo wszystko zaskoczyły go własne słowa. Królica już rozkładała planszę.

– Dziękuję, ale dzisiaj z panią nie zagram – powiedział Jezusek cicho. Oparł głowę o ścianę, jakby potrzebował dodatkowej podpory. Wyglądał jak człowiek zmagający się z jakąś siłą, której potęgi jeszcze nie zna, jak Julia w sali pełnej ludzi. Królica nawet na niego nie spojrzała.

– Zawsze gramy o tej porze – powiedziała i zaczęła ustawiać pionki.

– No, Jezusek, słuchamy – powiedział szeregowy Mazur. – Wal, bracie! Pamiętaj, jaki teraz jesteś.

Jezusek patrzył przed siebie, w szerokie okno, za którym żółkły klony i wielkie drzewiaste sumaki i rozciągał się wyraźniej niż gdzie indziej krajobraz, jakiego próbował pozbawić mnie Lekarz.

– Słuchamy, musisz to powiedzieć.

Na czole Jezuska ukazały się drobne krople wilgoci, za oknem rozciągał się w pełnym rozkwicie cały ogrom świata. Jezusek miał łzy w oczach.

– To dla twojego dobra. Grałeś z nią w warcaby, chodziłeś na spacery, wysłuchiwałeś życiorysu, aż ci kością w gardle stanął, a ona jak ci odpłaciła? Podłości nie można kryć. Trzeba walczyć o siebie.

Jezusek przełknął ślinę, grdyka biegała mu w górę i w dół jak małe, przestraszone zwierzątko szukające drogi wyjścia z potrzasku.

– Powiedziała, że nie wie, kim jestem. Zapytała: „Który to, bo nie wiem".

– Miałeś psychodramę. Co powiedziałeś babce? Co powiesz Królicy?

– Pani Stasiu, nie będę już grał z panią w warcaby, poświęcał pani czasu, skoro pani nie wie nawet, kim jestem. Nic pani nie obchodzę.

Kiedy odchodziła dziwnie stara, pomyślałam, że może te miesiące z nami wcale nie były dla niej takie złe. Miała przy sobie ludzi, nawet jeżeli nie potrafiła znaleźć do nich drogi, i dopiero teraz została znowu sama.

Biliśmy brawo Jezuskowi. Cieszyło nas to, kim się stał, nawet jeżeli ostatecznie wcale tego nie chciał. Takich postępów nie zrobił jeszcze nikt, to była nadzieja dla nas. Pani Stasia nie zmieniła się wcale, tego się przestraszyliśmy, ale Jezusek zmienił się bardzo.

Pożegnanie Jezuska było ważnym wydarzeniem. Każdy chciał mu coś powiedzieć, musieliśmy ustalić kolejność, żeby się nie przekrzykiwać. Mówiliśmy o tym, jaki był dla nas ważny, ile się od niego nauczyliśmy, co wyniesiemy z tej znajomości.

– To, jak traktujesz ludzi. Będę się starał jak najdłużej o tym pamiętać.

– Sądziłem, że nie ma już takich osób, że jako ludzie jesteśmy gorsi.

– Musisz tylko trochę więcej myśleć o sobie, żeby ci nikt nie wchodził na głowę. Ale podziwiam cię za odwagę cywilną, za to, jak traktujesz ludzi.

– Pokazałeś nam, jak być cierpliwym i jak szanować innych. Wiele się od ciebie nauczyłem i będę się starał być lepszy, więcej myśleć o innych.

Tak mówiliśmy, mieliśmy łzy w oczach.

Następnego dnia po odejściu Jezuska zrobiliśmy w jadalni krąg dla pani Stasi. Było tak, jakbyśmy nigdy nie znali Jezuska. Zsunęliśmy stoły i krzesła, robiąc miejsce dla pani Stasi, jak kiedyś dla Julka Smarka, Julka łamacza hospitalizacji. Ale kiedy wszystko już było gotowe i pozostało tylko sprowadzić panią Stasię, przestaliśmy się tym nagle interesować, jakby te resztki zaangażowania w jej sprawy poszły na przemeblowanie jadalni.

Po południu przyszła siostra gospodarcza i powiedziała, że znowu urządzamy numery, jeszcze jeden taki wybryk i złoży skargę do siostry oddziałowej. Już tylko Mikołaj nie mógł znieść myśli, że pani Stasia wyjdzie taka, jaka przyszła. Walczył do ostatniej godziny jej pobytu na oddziale, choć chyba wszyscy zdawali sobie sprawę, że dla pani Stasi nic nie da się zrobić. W rzeczywistości już nam to było obojętne, jakby odejście Jezuska zwalniało nas nawet z tego obowiązku.

„Umrze pani w samotności – wołał Mikołaj, kiedy pani Stasia odchodziła z walizką w stronę szklanych drzwi prowadzących na oddział zamknięty i dalej, do wyjścia. – Jak pies!"

Stałam na środku pokoju niezdecydowana i jakby obolała. Nie czułam się dobrze po odejściu Jezuska.

– Jestem aniołem – powiedziała Karolinka zachęcająco.

„Jest pani nic niewarta, jest pani bezwartościowym człowiekiem – wołał Mikołaj. – Nie pozwalam pani odejść!"

– Aniołem? – W głosie Karolinki zabrzmiała nuta niepokoju.

Podeszłam do jej łóżka. Leżała sztywno wyciągnięta na kołdrze w zielone ludki i uśmiechała się leciutko, ponaglająco mimo niepokoju. Ale ja czułam się zdezorientowana po odejściu Jezuska. Był ze mną od początku mojej hospitalizacji. Czułam się dziwnie pusta i zniechęcona.

– Nie jesteś aniołem – powiedziałam. – Aniołów nie ma. – Odwróciłam się i odeszłam, pozostawiając Karolinkę z tym, co powiedziałam.

Widzę jeszcze czasem panią Stasię, jak kłapiąc domowymi pantoflami, idzie naszym korytarzem w stronę jadalni pełnej ludzi, którzy w swoich potrzebach nie wydawali się jej podobni do niej samej.

„Od ilu lat jest pani sama?" – zapytała terapeutka.

Wyjścia

Wieczorem po odejściu pani Stasi siedzieliśmy w jadalni jak zwykle. Udawaliśmy, że nic się nie stało i że jesteśmy tacy, jacy byliśmy poprzedniego dnia albo jeszcze wcześniej, w zeszłym tygodniu. A jednak nie dawało się ukryć, że pani Stasia jechała teraz pociągiem w stronę swojego mieszkania w miejscowości nadmorskiej niezmieniona, zupełnie taka sama, jak przyszła, nic się dla niej nie dało zrobić. Zdarzyło się to po raz pierwszy i odsłoniło przed nami tę straszną prawdę, że to możliwe – może się tak stać, że spędzimy tu dwadzieścia jeden tygodni i nic się dla nas nie da zrobić. Odbędziemy pełną hospitalizację i nic się nie da dla nas zrobić? Na razie nie mogliśmy się z tym pogodzić, chyba nawet nie potrafiliśmy w ten sposób sformułować zagrożenia.

Odejście pani Stasi zmieniało wszystko, stawiało nas w obliczu zagrożenia, o którym nawet nie wiedzieliśmy. To znaczy, że możemy przebyć terapię i nic w sobie nie zmienić? Ale my bez tej zmiany, jakiejkolwiek zmiany, nie mogliśmy dalej żyć...

Adam udawał, że gra w czołgistów. Bał się tak, że drgała mu skóra na nagiej głowie. Tak, on był następny w kolejce, wszyscy to wiedzieliśmy. Odmawiał wszelkiej zmiany. Rano ogolił głowę. Terapeutka powiedziała, że trudno jej znieść myśl, że nie może mu pomóc.

„Podczas pierwszej hospitalizacji bardzo chciałam jakoś się do pana zbliżyć, żeby ulżyć pana cierpieniu. Bardzo nie chciałam, żeby pan się czuł porzucony. Trudno było znieść to, jak pan siedział, w postawie porzuconego dziecka, wyraz bólu w pana oczach. Nie pozwolił pan nikomu podejść do siebie ani odebrać sobie tego cierpienia. Odnosił się pan wrogo do każdej próby nawiązania kontaktu, jakby obawiał się pan utraty jakiejkolwiek jego części. Cały czas napotykałam ten mur, za którym pan chował to, co najbardziej bolało. Zastanawiałam się i nadal się zastanawiam, w jakim stopniu pan dzisiaj chce się z nim rozstać i pójść naprzód, pozostawiając to, co pan zrobił, za sobą, a w jakim chce pan z tym zdarzeniem pozostać za murem na zawsze. Dzisiaj, kończąc pana drugą hospitalizację, muszę przyznać, że istnieje we mnie duża obawa i lęk, że tak się może stać, że do tego pan właśnie dąży".

Wstałam od stołu, podeszłam do kuchennych szafek i zaczęłam wyciągać talerze potrzebne do śniadania. W myślach przeliczyłam osoby na obu oddziałach i zaczęłam oddzielać talerze do zupy od płaskich z takim pośpiechem, jakby od tego, jak szybko to zrobię, coś zależało.

Próbowałam ocenić własne położenie. Już nie chodziłam po części, ale tylko dlatego że od miesięcy regularnie brałam leki, nie wiedziałam, jaka będę, gdy przestanę to robić. Moje myśli nadal krążyły niebezpiecznie blisko Marka. I ciągle widywałam rzekę, ten drugi brzeg, do którego nigdy nie przyznałam się Lekarzowi. Nie pomagały zmiany mieszkań, zawsze płynęła gdzieś w pobliżu. Nikomu o tym nie powiedziałam...

– Już nie zbieram tych części – odezwałam się. – Nie widuję też tej afrykańskiej drogi, nie wiem, co się tam dzieje. Czasem próbuję tam wrócić, tylko na wszelki wypadek, żeby się upewnić, że tam nic nie ma. Ale mi się nie udaje... Nadal widzę rzekę, myślę, że to ma związek ze śmiercią. Marek umarł, a ja nie wiem, jak to zrobił... Wyobrażam sobie tę drogę, mówię: zaraz będzie zakręt, jest świeżo po deszczu, ale wcale jej nie widzę.

– Godzinami jeżdżę na rowerze – powiedział szeregowy Mazur. – Robię to, żeby nie być w domu. Wracam tam i już na klatce schodowej jestem tak wkurwiony, że tylko szukam pretekstu. Kiedyś prawie się ucieszyłem, że czuć spalenizną – pomyślałem, że może to żona spaliła obiad. Byłem głodny jak cholera i cieszyłem się, że spaliła obiad, teraz mogłem się już uruchomić na całego. Czułem nawet wdzięczność dla niej za to, że spaliła ten obiad i że będę się mógł na niej wyżyć. I wściekłem się na nią, kiedy się okazało, że to u sąsiadów. Potem zaczęły się scenariusze, jeden po drugim, wyobrażenia zdarzeń, które nigdy nie miały miejsca. Raz zobaczyłem obcy sweter na wieszaku i przed oczami zaczęła mi się snuć akcja: widzę, jak biorę sweter w rękę, idę do żony, ona leży w łóżku, czyta książkę. Podsuwam jej sweter, żeby widziała, co mam. Ona mówi, że to sweter Krzyśka, a ja miażdżę jej głowę, wszędzie jest krew, na ścianie. Albo wyobrażam sobie wypadek. Jadę z dziećmi drogą przez las, auto wypada na zakręcie, uderza w drzewo, młodsze dziecko wypada przez szybę, starsze nadziewa się na kierownicę. Następnego dnia pojechałem w to miejsce sprawdzić, czy to się nie stało, chociaż dzieci były w domu, siedziały przed telewizorem. Dałem im prażoną kukurydzę i pojechałem sprawdzić, czy nie leżą zabite w tym lesie. Obrazy stały się realniejsze niż rzeczywistość. Nie wiem, co się dzieje naprawdę, a co w mojej głowie.

Mikołaj siedział przy narożnym stole, na miejscu dla najbardziej poszkodowanych, wpatrywał się w ścianę, na której wisiały najlepsze prace z masy solnej i zimowy obraz Julii. Na twarzy miał wyraz jakiegoś ostatecznego skupienia, jakby szykował się do wzięcia przeszkody. Myślę, że w tej chwili mógł dokonywać faktycznego wyboru między życiem a śmiercią.

– Bomba, która miała trafić w nasz pojazd, trafiła w grupkę kobiet i dzieci – powiedział.

Zamarłam z talerzami w ręku. Nikt się nie poruszył, jakby słowa Mikołaja musiały mieć zupełny spokój, te płochliwe, przelotne ptaki były w nas samych, miałam takie wrażenie, że są we mnie, mogę je zniweczyć, odstawiając talerze. Adam przestał grać w czołgistów, zamarł z dłońmi zawieszonymi nad klawiaturą laptopa.

– Ja pierdolę! – powiedział Biały samymi ustami.

– Szli poboczem – mówił Mikołaj. – Wszystko się rozprysło: ręce, nogi. Kilkanaście osób. Myślałem wtedy, że to mogły być moje dzieci. Widziałem, że to są moje dzieci. Dostaliśmy rozkaz, żeby wracać do bazy, więc zawróciliśmy, przejechaliśmy przez te szczątki. Pojechaliśmy dalej, miażdżąc resztki ciał, byłem pewien, że to są moje dzieci. Trudno mi o tym mówić. Kochałem armię, ale to nie było tego warte.

Wolałbym, żeby ta bomba trafiła w cel, a tamci ludzie poszli dalej.

– Teraz muszę założyć słuchawki – powiedział Adam. – Żeby nie słyszeć kroków. – Roześmiał się. – Jak słyszę kroki, to znak, że ktoś chce mnie zaatakować. Jak słyszę wiele kroków, to znak, że trzeba uciekać.

Następnego dnia na wolnej godzinie Mikołaj poprosił o czas dla siebie. Opowiedział grupie swój życiorys, a także to, co wydarzyło się na wojnie w Iraku. Nawet nie wyciągnął z kieszeni kartek z życiorysem.

„Gratuluję panu – powiedziała terapeutka tydzień później. – To była udana hospitalizacja. Myślę, że odzyskał pan wiarę w to, że dużo od pana zależy, że ma pan wybór. Odzyskał pan władzę nad swoimi wyborami. Wojna za panem. Przed panem nowy rozdział w życiu. Trzeba go rozpocząć".

Wolno jechałam nad Solinę zdumiona pięknem krajobrazu. Jeszcze nigdy nie wypuściłam się tak daleko na południe. Mijały mnie samochody obładowane wakacyjnym sprzętem, ciągnące na przyczepach łódki i kajaki, panowała wakacyjna atmosfera. Jechałam z daleka i z każdym kilometrem byłam bardziej przekonana, że wyruszyłam w tę drogę na próżno. Pogrzeb Marka miał być skromną, rodzinną ceremonią, a ja nie należałam do rodziny, nie byłam nawet dobrą znajomą. Wykorzystałam na tę podróż długą przepustkę przysługującą raz na osiem tygodni i czułam, że zrobiłam to na darmo. Postanowiłam, że najwyżej nie wejdę do kaplicy, stanę gdzieś na uboczu. Marek powinien to zrozumieć – zależało mi, żeby go pożegnać.

Ceremonię pogrzebową zaplanowano na trzynastą. Przyjechałam o wiele za wcześnie. Kaplica cmentarna była już pełna ludzi, wszystkie krzesła wewnątrz były zajęte. Żałobnicy stali w przedsionku i przed drzwiami. Ksiądz powiedział, że można podejść do urny, położyć na niej dłoń, w myślach pożegnać się z Markiem, może powiedzieć mu to, czego się nie powiedziało, kiedy żył. Mówił o tym, jakim zdolnym człowiekiem był Marek, mówił o jego osiągnięciach, wybitnych zdolnościach, ciekawości świata i innych ludzi, o tym, że jego życie pozostało niedokończone, miał zaledwie trzydzieści trzy lata. Był głęboko myślącym człowiekiem na rozdrożu życia, a tacy ludzie najmocniej zapadają nam w serca i najwięcej potrafią w nas zmienić.

Urna z prochami stała wśród kwiatów, ustawiono również zdjęcia Marka w mundurze. Na zdjęciu wydał mi się kimś innym, prawie go nie poznałam. Młody, skupiony człowiek o pełnej, zadowolonej twarzy. Na czerwonej poduszce pod zdjęciem leżała Gwiazda Afganistanu. Wiele osób płakało. O trzynastej warta honorowa wyniosła urnę, nad grobem oddano trzy salwy, przemówienie wygłosił dowódca miejscowej jednostki. Przez cały czas ceremonii siąpił deszcz.

Biały powiedział, że nie da rady opowiedzieć mi swojego życiorysu, chuj to trącał, życiorys mówi tylko Blondynie. Zamiast tego odegramy scenkę – ja będę jego żoną, a on mi będzie mówił, co zrobił w Afganistanie. Wypróbuje to ze mną, to może zdecyduje się na tę psychodramę w czwartek. Jeżeli zrobi to na psychodramie, może się odważy i zrobi to w prawdziwym świecie. Psychodramę ma w czwartek.

Stanęliśmy naprzeciwko siebie pod tablicą z Kartą Praw Pacjenta.

– No to mówię – powiedział Biały. – Gdyby nie Królica, nawet bym nie próbował. Ale baba przestraszyła mnie tak, że omal się nie obsrałem.

Długo nie mogliśmy się dopasować. Biały kazał mi stanąć inaczej.

– Nie na wprost – powiedział. – W ogóle nie jesteś jak ona. Bardziej przypominasz mi ciotkę Bronkę. Od pięciu lat z nią nie gadam.

Kazał mi ustawić się bokiem, a potem zupełnie inaczej – stanęliśmy obok siebie, twarzą do ściany i Karty Praw. Biały powiedział, że w ten sposób nie ma do kogo mówić i żebym stała naprzeciwko, i postarała się jakoś lepiej wyglądać, ma młodą żonę Urszulę.

– No to mówię.

„Jak nie powiem na psychodramie, wyjdę stąd taki, jaki przyszedłem. Pierwsza żona odbierze mi dzieci, nie będę miał szans. Wybuchnę od byle czego, ona tylko na to czeka, nasyła na mnie policję, żeby zaświadczyła, jaki jestem niepoczytalny. Już teraz mam osiem tysięcy grzywny za agresję wobec gliny. Mówię ci, ledwo go tknąłem”.

– No to mówię.

Powiedział, że ja mam mówić tylko to co Blondyna na sesji ze smokami.

„Może ona chce tylko, żeby pan do niej wrócił z Afganistanu” – powiedziała piękna Blondynka.

Ja miałam mówić: „Chcę tylko, żebyś do mnie wrócił z Afganistanu”.

– No to mówię – powiedział Biały.

Siedzieliśmy pod Kartą Praw, minęła godzina albo dwie, ciągnęło od podłogi. Biały opowiadał, jak radzi sobie z Blondynką. Czasem, jak ma taką fazę, że nie chce mówić, siedzą naprzeciwko siebie przez godzinę w milczeniu, dwa razy w tygodniu ma sesję indywidualną. Czuje wtedy, jakby wymierzał jej karę; baba jest twarda, ale wtedy ją boli. Może więc potrzebuje, żeby ktoś cierpiał razem z nim. Ona na pewno cierpi, nic gorszego nie można jej zrobić. Ale to się rzadko zdarza, zazwyczaj nie wytrzymuje wzroku Blondyny i sam zaczyna mówić. Mówi jej, co zrobił w Afganistanie. Dzięki temu w ogóle zaczął coś kombinować, przedtem chciał tylko pić wódkę i rozwalać ludzi, rozwalać to, co miał w środku. W papierach napisali mu, że jest wybuchowy. I niebezpieczny.

– Jaki stąd wyjdę, taki już będę – powiedział Biały. – Zostały mi jeszcze trzy sesje i psychodrama, a potem wracam do żony. I jestem taki, jaki stąd wyjdę. No to robię tę psychodramę.

Stanęliśmy naprzeciwko siebie. Miałam na imię Urszula i bałam się tego, co za chwilę usłyszę, ale wszystko we mnie czekało na te słowa. Te słowa miały mnie uratować. Biały oddychał ciężko, drgała mu skóra na głowie.

– Mówię ci, co zrobiłem. No to słuchaj... Otwieram się i ci to mówię. – Drgała mu dolna warga. – Jeżeli tego nie zrobię, nic się nie odzyska, ja pierdolę! Mówię ci to i mam szansę, Blondyna ma, kurwa, rację. Jestem, kurwa, normalny albo zostaję czubem, wszystko rozwalam. Uważaj, mówię ci to i wracam do ciebie z tego Afganistanu... Wszystko ci jedno, jaki jestem i co tam zrobiłem, chcesz tylko, żebym do ciebie wrócił.

– Nie rozumiem, dlaczego nie mogę ci tego powiedzieć. Jezu, żebyś ty to wiedziała bez mówienia. Dlaczego tego nie wiesz? Mówisz, że jesteś ze mną, i tego nie wiesz? Co to jest? Co to za jebana miłość, żeby tego nie wiedzieć! No, mów! Co miałaś mówić...?

    – Chcę tylko, żebyś do mnie wrócił.

    – Z tego Afganistanu...

    – Chcę tylko, żebyś do mnie wrócił z tego Afganistanu.

SPIS TREŚCI

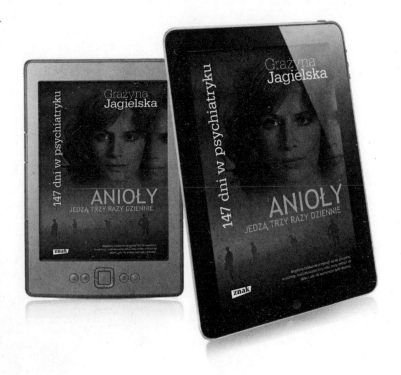

E-book dostępny na

woblink.com